Het verraad van Natalie Hargrove

LAUREN KATE

HET VERRAAD VAN NATALIE HARGROVE

Uit het Engels vertaald door Mireille Vroege

Van Goor

Voor Jason, collega-samenzweerder

ISBN 978 90 00 31585 7
NUR 285
© 2013 Van Goor
Uitgeverij Unieboek | Het Spectrum bv, postbus 97, 3990 DB Houten

oorspronkelijke titel The Betrayal of Natalie Hargrove
oorspronkelijke uitgave © 2009 Razorbill, an imprint of Penguin Group Inc., New York
www.van-goor.nl
www.unieboekspectrum.nl
www.facebook.com/youngadultboeken

tekst Lauren Kate
vertaling Mireille Vroege
omslagfotografie Marta Bevacqua / Arcangel Images
omslagtypografie Marieke Oele
zetwerk binnenwerk Mat-Zet bv, Soest

PROLOOG

Er was eens een tijd waarin je van niets wist.

Daar kon jij niets aan doen – je was nog maar een kind. En op de plek waar jij opgroeide, gingen de meeste mensen ervan uit dat het maar het beste was zo. Hoe langer een meisje uit een stadje in het zuiden erover deed om de achterlijke gewoonten van haar wereld te snappen, hoe beter het voor iedereen was.

In die tijd was je grootste zorg dat je vooral niet gesnapt werd als je dat pakje Juicy Fruit uit de supermarkt pikte... O, en dat je van de basisschool kwam met nog iets wat op een ziel leek.

Het was een reëel gevaar. Herinner je je nog die kledingvoorschriften? Die erwtjesgroene plooirokken tot halverwege de kuit? Herinner je je nog je trol... eh, rolmodellen? Al je leraressen waren van die ranzige-onderbroek-dragende, nodig-aan-een-snorwaxbeurt-toe-zijnde, nog-nooit-seks-gehad-hebbende types. Je moest alle zeilen bijzetten om wakker te blijven, terwijl zij daar jaar in jaar uit voor het bord de opwindende weetjes over de staat waarin je woonde stonden op te ratelen.

South Carolina, had je opgeschreven. *Achtste staat die de Grondwet heeft ondertekend. Thuisbasis van de palmetto-boom, het goudhaantje, de gele jasmijn, de slijmerige sociale klimmer* – O, wacht die stond niet in het proefwerk (nog niet, in elk geval).

Als je ook maar een beetje op Natalie Hargrove leek, had het je geen barst kunnen schelen of je een voldoende had voor de popquiz van die week of niet. Maar ze vertellen je er in de zuidelijke staten niet bij dat er een dag komt dat zoiets onschuldigs als de officiële staatsboom van South Carolina een kwestie van leven en dood kan betekenen.

5

1 ER IS IETS BOOSAARDIGS IN AANTOCHT

Het was de belangrijkste week van mijn leven. Het duurde nog tien minuten voordat de bel ging. Ik stond voor de wc-deur van de tweedeklassers een van mijn favoriete kwaliteiten te verfijnen. O, 'afluisteren' vind ik zo'n lelijk woord! Vooral omdat het er helemaal super uitziet als ik het doe. Geef toe: de loktelefoon tegen mijn oor, de coole aandachtige blik – je zou echt zeggen dat ik net een of ander nachtelijk privéberichtje van Mike stond af te luisteren, of dat ik de details voor de Mardi Gras-soiree van Rex Freeman voor dit weekend nog een keer stond te checken. Toch?

Maar wanneer zijn de dingen op Palmetto High School ook echt zoals ze eruitzien? Ieder levend wezen wist dat de meisjes uit de tweede klas – ook wel Bambi's genoemd – de favoriete speeltjes van de oudere jongens waren. De paar mensen op deze school die gezegend waren met een stel hersens waren er onderhand wel achter dat de ochtendlijke opdirksessies van de Bambi's zich uitstekend leenden voor een potje afluisteren. Bambi-wc-hangen deed je alleen maar uit voorzorg, zodat je op de hoogte bleef.

Door de deur heen hoorde ik, tussen de uitbarstingen van onheilspellend klinkend gebulder van de storm die buiten woedde, een van de Bambi's jammeren: 'Kunnen we het er even over hebben dat het echt vreselijk oneerlijk is dat het zulk slecht weer is?'

De maand februari was in Charleston bijzonder onvoorspelbaar. Er hingen al de hele ochtend zwarte wolken, die dreigden elk moment te kunnen openbreken en ons nat te regenen.

'Het is net alsof God wil dat ons haar vanavond bij de wedstrijd alle kanten op staat,' beaamde een Bambi-vriendin. 'Hé, wie heeft mijn concealer?'

'Liefje,' zei een derde Bambi lijzig, 'je hoeft echt niet nu al helemaal te *shinen* voor de kerkklokken van volgende week, hoor! Geef me de haarspray eens.'

Jezus, wat waren die meiden vervelend. Als ik iets interessants van ze wilde opsteken (lees: op wie de oudere leerlingen volgende week zouden stemmen bij de lang verwachte verkiezing van de Palmetto-prins en -prinses), dan zou ik zelf naar binnen moeten gaan. Ik sloeg mijn telefoon dicht en schonk de dwepende toneelspelers die me in de gang passeerden mijn podiumglimlach. Toen wurmde ik me door de deur van de wc's naar binnen.

In Bambiland aangekomen trok ik mijn wenkbrauwen op, tuitte mijn lippen en betrad een wolk haarspray met sinaasappelgeur om me een plaatsje voor hun spiegel te verwerven.

'Tweedeklassers,' zei ik, 'moven.'

Na een koor van 'hé, Natalie' en 'sorry, Natalie' hielden de Bambi's hun mond en deden een stap opzij. Het gesprek over de stormwolken en het bijbehorende kroezende haar leek vergeten.

Zelfs Kate Richard, leider van de tweedeklassers en de minst bedenkelijke van het groepje, legde haar krultang neer om plaats te maken. Kate had haar geloofwaardigheid bij mij verdiend tijdens haar ontgroening het jaar ervoor, toen een leerling uit de eindexamenklas haar een schaar overhandigde en aan Kate vroeg haar respect te tonen door haar tot op haar middel reikende haar af te knippen. Kate was gewoon weggerend, en de helft van mijn klas was nog steeds niet over haar openlijke ongehoorzaamheid heen, maar persoonlijk had ik wel respect voor een meisje met zo veel karakter.

Die ochtend wist Kate – zoals ze allemaal wisten – dat het niks voor iemand uit een hogere klas was om zich op Bambi-terrein te komen opmaken. Ze nam met één grote vegende beweging alle make-uptasjes van de hele clique in haar arm en maakte een plaatsje voor mij op het blad vrij. Ik knipoogde bij wijze van bedankje en zij knipoogde terug, terwijl ze het gekrulde deel van haar inmiddels beroemde honingkleurige haar over een schouder zwaaide. Ik zette nonchalant mijn eigen make-uptasje neer en keek in de spiegel. Mijn donkere haar viel moeiteloos om mijn schouders, waardoor mijn donkerbruine ogen gingen glanzen. Mijn huid was glad en gaaf. Maar midden op mijn voorhoofd zat een irritant zorgrimpeltje. Ik haalde nog een keer adem en pakte mijn wimperkrultang.

Met het ene oog dat niet vastzat in wat Mike mijn middeleeuwse martelwerktuig noemde, hield ik in de gaten wat mijn effect op het inmiddels zwijgende tafereel was.

'Wat is er, meiden?' vroeg ik, terwijl ik Kate mijn rug toekeerde, zodat zij wist dat ik niet háár bedoelde. 'Tong verloren?'

Steph Merritt, zo'n typische herboren blonde tweedeklasser, keek naar haar voeten en stamelde: 'We hadden het er net over dat we die posters van jou voor de Palmetto-verkiezing zo mooi vonden, Nat.'

'O ja?' zei ik.

Steph sperde geschrokken haar wipneusgaten. Normaal gesproken kan ik een leugentje om bestwil wel waarderen – daar ontkomt een meisje zo nu en dan nu eenmaal niet aan – maar die dag was Stephs geslijm van net zo'n slechte kwaliteit als haar geverfde haar. Voor ik mijn aanwezigheid kenbaar had gemaakt, waren deze meisjes volledig in beslag genomen geweest door hun piezelige haar en hun acne. Als de jongens met wie ze het deden hadden laten vallen op wie ze zouden stemmen, waren die Bambi's waarschijnlijk toch te stom om het zich te herinneren. Ja, ze deden het met de vijand, maar op hun leeftijd ging de ene footballspeler uit een hogere klas naadloos over in de volgende.

Ik had geen zin om nog meer tijd te verspillen voordat de bel ging. Tegen de tijd dat mijn mascara droog was, wist ik dat ik mijn informatie ergens anders vandaan moest zien te halen.

De eersteklassers waren beslist niet zo dik met de ouderejaarsjongens als de Bambi's. Eersteklassers waren hot, maar te new-age-achtig, en ze hingen meestal rond in het laaggelegen moerasland met morsige jongens van buiten de stad die in minicampers reden vol met verdampers voor 'onbeperkt wiet inhaleren'.

Maar ja, er waren wel eerder vreemde dingen op hun wc gebeurd voordat de les begon. Het gerucht ging dat de crème de la crème van hun klas had voorspeld wanneer Lanie Dougherty ontmaagd zou worden – tot op het uur – en daarin gelijk had. En afgelopen maand hadden diezelfde eersteklassers nog als eersten van dat hele gênante verduisteringsschandaal geweten, dat tot het ontslag van directeur Duncan had geleid, die daarna door de tijdelijke en pijnlijk sullige directeur Glass was vervangen.

In de spiegel achter me stond Darla Duke aan een grote rode pukkel op haar voorhoofd te pulken. En het is echt niet zo dat Dubbel-D mij in het verkeerde keelgat schoot omdat haar vader iets met mijn moeder heeft. Met haar rugacne, onophoudelijke geslijm en veel te opzichtige decolleté was die griet gewoon weerzinwekkend. Toen ze zag dat ik met van afgrijzen opgetrokken wenkbrauwen keek hoe ze aan haar puist pulkte, zoals een vegetariër naar, zeg maar, varkenskraakbeen kijkt, liet ze haar handen langs haar lichaam zakken.

Ik klikte mijn compactpoederdoos van Mary Kay open en depte met de roze dons om mijn neus. 'Maak je geen zorgen, D.,' zei ik, 'vanmiddag is het wel over.'

9

De tweedejaars hapten naar adem. Het was heel onbeleefd om over de pukkels van een ander meisje te praten, zelfs in de beslotenheid van de toiletruimte.

Ik rolde met mijn ogen. 'Het weer, bedoel ik.'

Buiten bulderde het onweer. Takken van de treurwilg sloegen tegen de ramen en de tweedeklassers kreunden en trokken collectief aan hun haar. Het was heel gênant om ze allemaal door het dolle te zien raken vanwege een paar onbeduidende losse pieken voor een verkiezingsbijeenkomst. Hoe dachten ze het over twee jaar te gaan redden, als ze echt iets hadden om zich zenuwachtig over te maken? Ik zuchtte en haalde een bus haargloss – mijn geheime wapen, met dank aan mijn moeder – uit mijn paarse rugzak. Ik hoefde geen stemmen bij deze meisjes te werven, maar met een echt goed haarproduct kon je hier op deze wc heel wat vliegen vangen.

'Beloven jullie dat jullie eerlijk zullen delen?' vroeg ik de tweedeklassers, terwijl ik met de bus zwaaide.

De Menselijke Pukkel stak haar handen uit alsof ik zojuist goud had gesponnen. 'O mijn god, dank je wel,' zei Darla met knipperende ogen. 'We nemen allemaal één sprietje.'

'Oké,' zei ik, terwijl ik naar de deur liep. 'Maak het niet té dol, hè.'

'Nat.' Tussen het gesjirp van de andere meisjes viel Kates hese stem op. Ze trok aan het hengsel van mijn tas. 'Wacht even.'

'Vertel.' Ik draaide me om om de kraag van haar witte bloes recht te trekken, zodat die glad onder haar lichtroze kasjmier lag.

'Tracy Lampert wil je zien,' zei ze, terwijl ze snel het zilveren tongringetje liet zien dat ze op het terrein van de school bijna nooit toonde. 'Op de wc's van de eersteklassers,' zei Kate erbij. 'Voor de bel gaat.'

Hmm... Tracy Lampert was de zelfbenoemde eersteklassersgoeroe. Ze hield onophoudelijk hof op hun wc's, zo vaak zelfs dat sommige mensen zich afvroegen of ze eigenlijk wel eens naar de les ging.

'Dat komt goed uit,' zei ik, en ik verbaasde me even over dit toeval. Tracy en ik konden het prima met elkaar vinden, maar ik kon me niet herinneren wanneer we elkaar voor het laatst expres hadden opgezocht – tegelijkertijd. 'Daar wilde ik toch al naartoe,' zei ik, terwijl ik met een schouderophalen de andere Bambi's gedag zei. 'Later, meiden.'

Toen ik de trap op liep naar Tracy's Zenhol, zag ik tot mijn verbazing dat de gangen plotseling helemaal overspoeld waren met posters van collega-kandidaten voor de Palmetto-verkiezing. Ik bekeek ze allemaal en begon te lachen – niet alleen omdat iemand June Rattler zover had gekregen dat ze een foto van zichzelf met een rood gezicht en dikke wangen, terwijl ze op een tuba blies, had laten uitvergroten voor haar poster als Palmetto-prinses, hoewel dat uitermate lachwekkend was, en een beetje verontrustend. Nee, ik begon te lachen omdat het op een vreemde manier wel een goed gevoel gaf om me te realiseren dat ik niet de enige was die helemaal in beslag genomen werd door gedachten aan de kroon.

Zo gestoord gaat het er op Palmetto aan toe, wat betreft het galafeest: elk jaar vergeten de hippies een maand lang hun plechtige belofte om hun koolstofvoetafdruk te beperken en knetterstoned rond hun kampvuur te zitten, en maken ze net zo veel glitterposters als de rest. Zwervers gaan ondergoed dragen en gaan weer naar de kerk om hun morele rechters die het eindoordeel vellen voor zich in te nemen. Voormalige-prinsessen-nu-ouders kopen de school steevast om met donaties voor nieuwe bibliotheekafdelingen, om de koninklijke erfenis voor hun eigen kinderen veilig te stellen. Zelfs de jongens gaan op een selderie-chilisausdieet om een paar kilo af te vallen voor de fotoshoot van hun campagne.

Ja, zo serieus nemen de jongens het ook. Tenzij we het natuurlijk over mijn vriendje hebben. Ik hou van hem, oké? Echt. Mike en ik zijn zonder meer hét stel op school met de meeste kans van slagen. Ik wil alleen maar zeggen dat als iedereen op de wereld net zo weinig om bepaalde dingen zou geven als Mike… Nou ja, dat er dan waarschijnlijk helemaal geen Palmetto-campagne gehouden zou worden.

En die campagne is nog maar het begin! Als de stemmen eenmaal zijn uitgebracht en de winnaars bekendgemaakt, begint de echte heerschappij van de Palmetto-prins en -prinses. 'Royalty' betekent op Palmetto dat je een kruising bent tussen een ambassadeur voor een goed doel en een eersteklas lid van de beau monde. Kortom: je hebt het gemaakt.

Om het te vieren viert de hele school een week lang feest. Om te beginnen heb je de kroning in de country club – waar de prins en de prinses in een glinsterende koets met een paard ervoor arriveren. Daarna heb je de Gele Jasmijn-dag, waarop alle meisjes een corsage dragen van de nationale bloem. Verder heb je de beroemde film De weg naar Palmetto, die ruim gedistribueerd wordt en waarvan bekend is dat een paar gekroonde hoofden hierdoor op de Ivy League-universiteit van hun keuze zijn aangenomen. En tot slot is er natuurlijk het gala.

'We tellen af naar het gala! Nu!' galmde de stem van Rex Freeman door de gang. Rex, met zijn gemillimeterde rode haar en zijn indrukwekkende biceps, die altijd door de opgestroopte mouwen van zijn t-shirt heen puilden, was veel relaxter dan hij er op dat moment uitzag. Normaal gesproken nam hij alleen het heft in handen als het erom ging het juiste aantal vaatjes bier op zijn feesten te krijgen. Maar aan het paniekerige gezicht van zijn slungelige tweedejaarshulpje te zien nam Rex zijn taak als campagneleider dit jaar behoorlijk serieus.

'Stotter ik soms?' blafte hij de jongen toe. 'Ik vroeg hoeveel dagen nog!'

'Eh... vijftien,' piepte de jongen, terwijl hij achteruit liep naar zijn kluisje.

'En hoeveel posters zijn er per prins op de muren toegestaan?' blafte Rex.

Terwijl de tweedeklasser als een gek een aan elkaar geniet pakket regels en voorschriften doorbladerde, keek Rex op en grijnsde naar me.

'Ik neem aan dat uw posteraantal correct is, mevrouw,' zei hij voor de grap, terwijl hij zijn stem van achterlijke agent uit Carolina opzette en me in mijn schouder kneep.

'O, u weet toch dat ik me altijd netjes aan de regels houd, agent,' grapte ik terug met mijn beste jonkvrouwe-in-nood-imitatie, als reactie op zijn zuidelijke accent.

'Dat kan ik van je vriend anders niet zeggen,' zei Rex met een kreun, terwijl hij omlaagkeek naar zijn biceps. 'Misschien moet ik wel even naar een dokter, na die tackle die Mike me vandaag geleverd heeft.'

Ik kreunde en stopte een stuk Juicy Fruit in mijn mond. Al sinds Rex en Mike in de kleuterklas hun schoenveters per ongeluk aan elkaar geknoopt hadden, waren ze dikke vrienden, dus ik was er wel aan gewend dat ze liepen te dollen. Maar deze week was niet het moment om een stomme footballblessure op te lopen!

Meestal kan ik Mikes zorgeloze-maar-wel-succesvolle houding ten aanzien van school wel waarderen – een mooi tegenwicht voor hoe ik erin stond. Maar Mike had dit jaar met zijn plaats op de ranglijst net zo zeker moeten zijn van succes als ik. Dat zou ook het geval geweest zijn als hij ietsiepietsie meer moeite had gedaan – nou ja, en ook als Justin Balmer er niet was geweest.

Ik boog me naar voren om op het pakket te tikken waar Rex' lakei nog steeds doorheen stond te bladeren. 'Als ik jou was zou ik het aantal posters van J.B. maar in de gaten houden,' zei ik voordat ik verder de gang in liep.

Van alle posters die tegen de muren geplakt zaten zouden die van Justin me het meest op de zenuwen werken, wist ik. Dus beloofde ik mezelf die te ontlopen. Ik was bijna veilig bij de wc's voor de eersteklassers aangekomen toen ik oog in oog kwam te staan met de kartonnen belichaming van J.B., en ik bleef stokstijf staan.

Op de foto stond Justin gebruind en zonder T-shirt op een van zijn boten in de jachthaven van zijn vader vlak bij Folly Beach. Oké, het was niet eens zo'n heel onaantrekkelijke foto. De intense blik in zijn diepgroene ogen zorgde er zelfs voor dat ik bijna naar voren struikelde. Toen ik me naar de foto toe boog om eens beter te kijken, realiseerde ik me dat ik die boot kende. Ik had ooit een eindeloze avond op de achtersteven gelegen toen... Nou ja, toen alles nog anders was.

JUSTIN BALMER, stond op de poster, AL ACHTTIEN JAAR PRINS IN DE MAAK. Doe me een lol. Al achttien jaar in de namaak, kun je beter zeggen. Ik had op de harde manier geleerd dat J.B. veel minder was dan de som van zijn beschaafde delen. Het zou nog moeite kosten om een grotere bedrieger te vinden – en op Palmetto wilde dat wel iets zeggen. Ik tuurde met half dichtgeknepen ogen naar de foto en vroeg me af welke Bambi-slet hem genomen had, en wanneer.

'Ik dacht dat jij niet meer aan idolenverering deed.' Het was Justin, die tegen de muur geleund stond en me met diezelfde groene ogen toe grijnsde. Hij rook precies zoals altijd: aftershave van Kiehl en vers gemaaid gras.

Ik gebaarde achteloos naar de poster. 'Ik keek alleen even of dat nou een veeg of een reusachtige moedervlek op je borst was,' zei ik. 'Ben je aangekomen?'

'Leuk geprobeerd, Nat,' zei hij zacht. 'Maar volgens mij weten we allebei prima wat onze geheime charmante onvolkomenheden zijn.' Zijn hand streek langs mijn onderrug, vlak onder de band van mijn spijkerbroek.

Ik duwde hem achteruit tegen het kluisje en draaide me toen snel om om te kijken of er getuigen waren. Ik wilde niet dat iemand zag dat Justin Balmer me niet helemaal koud liet. Gelukkig was de bebrilde Ari Ang de enige in de gang. Hij liep snel voorbij met een bekerglas met iets groens erin.

'Ik heb niets gezien,' zei Ang op smekende toon, terwijl hij zijn grote bril met zijn bekerglas afschermde. 'Ik ben onderweg naar scheikunde...' Zijn stem stierf weg, en ik draaide me weer om naar Justin.

Ooit hadden we misschien moeten lachen om dat voortdurende gehannes met bekerglazen van Ang. Nu wilde ik het liefst mijn nieuwe stuk Juicy Fruit in J.B.'s gezicht spugen. Maar ik dwong mezelf die valse opwelling tegen te houden. Ik wist er een glimlach uit te persen.

'O,' kirde ik, 'wat schattig dat je nog steeds denkt dat je – hoe zei je dat ook alweer? – dat je charmante onvolkomenheden geheim zijn.' Ik liet mijn ogen nadrukkelijk langs zijn kruis dwalen en spuugde toen mijn kauwgum uit, scheurde een stukje van Justins poster en verpakte het gele bolletje erin. 'Maar maak je geen zorgen,' ging ik verder, 'mijn mond zit op slot. Maar mocht je ooit echt willen weten hoe het ervoor staat, dan moet je eens proberen om die Bambi-blog over jou te hacken – en misschien eens ophouden met je zo hoerig te gedragen. Die meiden zijn genadeloos. Later!'

'Nat.' Hij pakte mijn pols beet en dwong me hem aan te kijken. 'Kom op.'

'Kom op wat?'

'Een jongen kan toch veranderen?' vroeg hij zo zacht dat ik me naar hem toe moest buigen om hem te kunnen verstaan.

Ik wist het antwoord, zoals ik wist hoe ik zelf heette: nee. Maar ik kon me er niet toe zetten het te zeggen. Op een gegeven moment koos ik ervoor om mijn hand los te trekken en de wc's van de eersteklassers in te duiken. Binnen leunde ik tegen de deur en probeerde op adem te komen. Ik vroeg me af of Justin nog steeds aan de andere kant stond. Ik vroeg me af of ik iets kon doen om hem op stang te jagen.

'Hé Tracy,' zei ik. Ik zag de eersteklassers in hun sjamanenkring en toverde weer een glimlach op mijn gezicht.

Tracy Lampert stond op van haar koningsblauwe zitzak in de hoek van de wc-ruimte. Toen ze zich naar me toe boog om me te omhelzen, zwaaiden haar lange zwarte vlechten naar voren. Meestal ben ik de eerste die commentaar heeft op het feit dat een meisje in Charleston nog geen stap opzij kan doen om even haar voicemail af te luisteren en dan bij terugkomst alweer omhelsd wordt, maar na mijn gangschermutseling met Justin vond ik een beetje genegenheid niet erg, zelfs niet van de pseudo-helderziende Lampert.

'Alles goed, Nat?' vroeg Tracy. Haar bekende saffierkleurige bril onttrok haar ogen aan het zicht, maar toch was het bijna alsof haar stem naar me tuurde. 'Je energie-aura is heel aanwezig. Dat kan goed zijn of slecht, afhankelijk van...'

'Met mij is alles goed,' zei ik tegen Tracy.

Ze trok haar wenkbrauwen op, maar liet het onderwerp verder rusten.

'Ga zitten,' kirde ze. 'Thee?'

Tracy schonk een dampende beker *chai* in uit een thermosfles op de vensterbank, en haar twee volgelingen Liza Arnold en Portia Stead gingen op de zitzak naast haar zitten. Portia stak haar lange haar op in een reusachtige blonde knot en Liza deed mediterend haar ogen dicht. Ik onderdrukte een lach en bedacht dat tegen de tijd dat deze meisjes in de bovenbouw zaten, ze helemaal over deze fase heen waren en om zichzelf zouden moeten lachen als ze eraan terugdachten.

Maar voorlopig bevond ik me aan hun hof, dus liet ik me maar gewoon tussen hen in op de laatste zitzak in de kring vallen.

'En,' zei Tracy, terwijl ze een vreemd gewicht aan het woord toekende, 'hoe staat het leven?'

Ik hield mijn hoofd schuin. 'Prima,' zei ik, 'maar zullen we het er niet liever even over hebben waarom je me hier binnen hebt geroepen?'

Liza kwam uit haar meditatie en deed haar ogen open. Ze keek op haar horloge en toen naar Tracy. 'Vertel het haar maar. De bel gaat zo.'

Ik stak mijn kin naar voren. 'Wat moet ze me vertellen?'

'Oké, ik zal meteen ter zake komen,' zei Tracy. Haar stem veranderde en er klonk een zeldzaam vleugje in door van haar natuurlijke zuidelijke accent, waardoor de bindi tussen haar ogen er bespottelijk uitzag. 'Mijn schoonzusje is een van de stemmentellers voor het gala van dit jaar,' zei ze. 'Ze heeft me gisteravond iets over Justin Balmer verteld. Nu ik weet dat jullie iets gehad hebben samen...'

Ik stak mijn hand op. 'We hebben helemaal niks gehad...'

'Nou, hoe dan ook,' zei Tracy. 'Het is in elk geval duidelijk dat Mike en jij heel gelukkig zijn. Ik wil alleen maar zeggen dat ik vond dat jij moest weten dat er dit jaar over J.B. gefluisterd wordt.'

Ik voelde het bloed naar mijn wangen stijgen. De Palmetto-verkiezing werd technisch gesproken door leerlingen georganiseerd, maar iedereen wist dat achter de schermen het zelfingenomen rechtse schoolbestuur met argusogen de stembussen in de gaten hield om te zorgen dat niet een of ander 'onsmakelijk' type de kroon op zijn of haar hoofd kreeg.

Ik had moeten weten dat J.B. iets zou doen om de stemmentellers een handje te helpen. Wat had hij gedaan? De rechters omgekocht? Niet dat ik daar zelf niet aan had gedacht...

'Oké, met welke rimpelige stemmenteller doet die klootzak het?' flapte ik eruit.

De eersteklassers hapten naar adem en Tracy sloeg haar hand voor haar mond om een lach te onderdrukken. 'Nee liefje, je hebt het verkeerd begrepen. De rechters fluisteren niet op een positieve manier over J.B.' Ze stak een vlecht achter haar oor. 'Onder ons gezegd en gezwegen: iemand probeert hem bij de verkiezing weg te krijgen. Kwaad bloed, nog van afgelopen zomer – ik ken de details niet. Ik vertelde je het alleen maar omdat...'

Ik kreeg weer adem. Ik kon Tracy wel zoenen.

'Omdat je wist dat ik me zorgen maakte om Mike,' maakte ik haar zin voor haar af.

'Precies.' Tracy knikte. 'Niks is natuurlijk zeker, maar ik vond het mijn plicht om het je te vertellen. Je pokerface is best goed. Maar toch vind ik het maar niks als een mooi meisje zichzelf vroegtijdige zorgrimpels bezorgt, terwijl ik er iets aan kan doen.'

'Weet Justin dat iemand het op hem gemunt heeft?' vroeg ik, terwijl ik mijn voorhoofd niet al te opvallend weer glad probeerde te krijgen.

Maar voor Tracy antwoord kon geven, bulderde er buiten een apocalyptische donderslag. Alle meisjes dromden bij het raam samen om te kijken.

'O mijn god!' riep Liza uit, terwijl ze keek naar iets wat snel in een volwaardige hagelstorm veranderde. 'We hebben de spandoeken op de parkeerplaats laten liggen. En die zijn met temperaverf beschilderd! Die smelt!'

De eersteklassers-wc kwam op slag in beweging. Ik denk dat hippies niet altijd vrede kunnen hebben met het weer. Alle meisjes begonnen als een gek hun massageolie weer in hun hennneptassen te proppen, zodat ze hun spandoeken van de elementen konden redden.

Onderweg naar buiten sloeg Tracy haar hand om mijn elleboog.

'J.B. weet er niets van,' zei ze. 'Het is misschien maar beter zo – begrijp je wat ik bedoel?'

Toen stoven haar vriendinnen en zij alle kanten op en vlogen als een stormwind naar buiten. Het enige levensteken in de lege wc-ruimte was de heen en weer zwiepende deur die op de gang uitkwam – de heen en weer zwiepende deur met J.B.'s gezicht erop geplakt.

Een jongen kan toch veranderen?

De vraag galmde nog na in mijn hoofd. Maar ik had hem al veel te vaak gehoord. Dus bleef ik voor de half afgescheurde poster staan en ging ik met mijn hand over zijn gezicht – zoals ze in de film doen om bij iemand die dood is de ogen te sluiten.

Toen keek ik naar links en naar rechts de lege gang in en trok ik hem snel van de deur, vouwde hem netjes doormidden en liet hem in de eersteklassersprullenbak vallen. Mijn eigen eerste jaar was nog maar zo kort geleden dat ik heus nog wel wist hoe je voodoo toepaste.

2 DE WAARDE VAN MIJN TONG

'Ik heb echt een klotedag gehad,' zei ik die avond toen ik mijn paarse rugzak van mijn schouder liet glijden en hem op het erkerzitje in Mikes kamer gooide. Hij stond in de deuropening zijn van de regen drijfnatte footballshirt uit te wringen, maar toen ik me uit mijn vochtige spijkerbroek wilde wurmen – net langzaam genoeg om een showtje voor hem te geven – zag ik dat zijn spiegelbeeld in het raam meteen een en al aandacht was.

'Definieer dat klote eens voor me,' zei hij, terwijl hij een stap naar me toe zette. Het was donker in de kamer, op de warme gloed van zijn bedlampje en het diffuse witte licht van de golfclub beneden, dat door het raam viel, na. Mike ging met de rug van zijn hand langs mijn hele been en glimlachte zo'n beetje sexy naar me.

'Voedselvergiftiging-van-het-Wafelhuis-klote of gewoon net een beetje erger dan de klotedag van gisteren?'

'Je steekt de draak met me,' kreunde ik, en ik maakte me van hem los om naar de goed onderhouden green van de dertiende hole en naar de weelderige, glooiende bomenrij achter de baan te kijken. Plukken groene wolken joegen langs de lucht, klaar om elk moment weer te gaan regenen.

'Je hebt veel te veel kleren aan om serieus genomen te worden,' zei Mike, waarmee hij mijn aandacht weer naar binnen trok en mijn lichaam naar het zijne. Hij trok aan de strakke zwarte trui die ik nog steeds aanhad. 'Jij had die regel toch voorgesteld?' vroeg hij plagerig, terwijl hij me tussen elk woord in mijn nek kuste. 'Volledige. Naakte. Eerlijkheid?'

Ik rolde met mijn ogen, maar grijnsde toen ik mijn trui over mijn hoofd uittrok. Het was koel in de kamer en ik voelde het kippenvel prikkerig op mijn armen opzetten. In mijn gelukssetje van zwarte bh en slip strekte ik me diagonaal over het kingsize waterbed uit, en daarna draaide ik me op mijn buik, zodat Mike boven op me zou moeten klimmen om een plekje te vinden.

'Eerlijkheid komt straks wel,' zei ik, en ik wees op mijn nek. 'Eerst masseren.

Ik heb een knoop ter grootte van de staat Georgia... Ja, precies daar.'

Mike had zich uitgekleed en alleen zijn geruite boxershort nog aan, en nam de positie van masseur boven op mij in. Ik stond mezelf toe mijn ogen te sluiten en voor de allereerste keer die dag echt adem te halen.

Nadat ik er via Tracy achter was gekomen dat de overwinning ons eigenlijk niet meer kon ontgaan, had ik de rest van de lessen onrustig uitgezeten, want ik wilde iets bedenken waardoor we vast en zeker zouden winnen. Inmiddels kon ik aan niets anders meer denken. Maar Mikes handen in mijn nek, dat was iets bijzonders, zo krachtig en sterk als die waren. Daardoor kon ik alles loslaten.

Ik moest denken aan de eerste keer dat ik zijn handen had gezien – sterk, gebruind, stevig een slaghout vasthoudend, beslist een kracht om rekening mee te houden. Mikes kamer keek uit over de deftige golfclub Scot's Glen, waar kinderen van de andere kant van de stad – de verkeerde kant van de stad – erop kickten om stiekem de golfbaan op te sneaken en golfballen naar de chique huizen te gooien. Ontzettend puberaal, toegegeven, maar er viel voor kinderen uit het woonwagenkamp aan de Cawdor-kant van de brug verder ook niet veel te beleven. Onderdeel van de lol was dat de rijke kinderen wapens naast hun achterdeur hadden staan om de armeluisvandalen weg te jagen.

Oké, ik had het een paar keer heel gezellig gehad met precies dat soort foute jongens, vaste bezoekers van de jeugdgevangenis, die vaak namen hadden als Junior Junior. Mijn goede vriendin Sarah Lutsky zei altijd dat een aanvaring met de politie heel goed was voor zo'n foute verhouding. Maar uitgerekend tegen de tijd dat ik Mike leerde kennen had ik besloten om met een schone lei te beginnen.

Het was 15 september, de eerste klas, en ik was net overgestapt naar Palmetto. Mijn moeder was onlangs hertrouwd, alweer, en had eindelijk haar levensdoel bereikt, namelijk met ons allemaal naar de goede kant van de brug verhuizen – en dus ook naar het schooldistrict dat onder Palmetto viel. Dus toen mijn golfbal door het raam van Mikes kamer vloog was dat – voor de verandering – echt per ongeluk. Om nog maar te zwijgen over het eind van mijn bijzonder korte golfcarrière.

Het is bizar om er nu over na te denken, maar ik zal nooit vergeten dat toen Mike met zijn honkbalknuppel zwaaiend naar buiten gelopen kwam, met alleen een kraakheldere kaki korte broek aan, mijn eerste opwelling was om de benen te nemen. Sarahs houding ten aanzien van gepakt worden was altijd geweest:

'Als het te heet onder je voeten wordt, zwem je verder naar huis.'

'Hé wacht,' had Mike geroepen, terwijl hij achter me aan rende. 'Wacht even, ik dacht dat je... iemand anders was.'

Ik bleef stokstijf staan, naast zijn zwembad, in mijn gloednieuwe golfpolo en witte miniplooirok – een cadeautje van mijn nieuwe stiefvader en het duurste wat ik ooit gedragen had. Op dat moment realiseerde ik me, en wel voor het eerst in mijn leven, dat ik het recht had om daar te zijn. Ik hoefde alleen maar mijn recht op te eisen.

Mike wist nog steeds niet precies hoe belangrijk die eerste ontmoeting was geweest. Hij dacht natuurlijk dat het door ons zoensessietje bij het zwembadhok kwam dat ik me die dag zo graag herinnerde en dat ik erop stond om die elke maand te vieren. Maar we gaan nu meer dan drie jaar met elkaar (veel langer dan het derde huwelijk van mijn moeder). Onderhand vond ik, als het op bepaalde stukken van mijn verleden aankwam, dat je dat hele 'volledige naakte eerlijkheid'-gedoe niet moest overdrijven.

Terwijl Mike zich in mijn nek lag uit te sloven, voelde ik dat ik steeds dieper in de relaxstand zakte en slaakte ik een tevreden zucht.

'Hé, dat geluid ken ik,' zei Mike, en hij boog zich naar mijn oor toe. 'Je valt in slaap,' fluisterde hij. 'Vergeet niet dat je niet de enige op de wereld bent die wat naschoolse stressverlichting kan gebruiken.'

Mijn ogen vlogen open en ik ging rechtop op het waterbed zitten, waardoor dat begon te wiebelen.

'Bedoel je dat jij je ook zorgen maakt over de verkiezing?' zei ik snel. 'Ik dacht dat ik dat alleen maar deed, maar jij hebt vandaag natuurlijk ook al die posters gezien. Denk je dat we er genoeg hebben opgehangen? Vind je dat wij er beter uitzien dan de rest?'

'Goeie manier om de sfeer te verpesten,' zei Mike voor de grap. Hij wreef met zijn hand langs mijn zij. 'Ik bedoel dat ik wel wat eh... algehele stressverlichting kan gebruiken... Hint, hint.'

'O,' zei ik, en ik tastte over de rand van het bed naar mijn tas om een stuk Juicy Fruit in mijn mond te stoppen, 'bedoel je dat.'

'Ja,' zei hij. 'Dat. Niet zo enthousiast.'

Toen ik Mike aankeek, realiseerde ik me hoe stom mijn antwoord had geklonken. Ik meende het niet eens. Als zijn lichaam zo dicht bij me in de buurt was had ik altijd zin om hem de kleren van het lijf te rukken. Het was heus niet zo dat ik dat plotseling vergeten was; ik zat alleen met dat gala in mijn hoofd.

'Het spijt me, schatje,' zei ik, en ik drukte mijn gezicht tegen zijn borst. 'Dat bedoelde ik niet. Je weet best dat ik geen genoeg van je kan krijgen.' Ik begon me kussend een weg omlaag over zijn buik te banen; daar verlamde hij altijd helemaal van. Ik bleef pal boven zijn boxershort hangen om hem recht aan te kijken. 'Ik wil alleen dat de hele school jou net zo graag... als hun prins wil.'

Hij kreunde en aaide over mijn hoofd. 'Ik neem genoegen met jóúw steunbetuiging.'

Ik stak mijn duimen achter het elastiek van zijn boxershort en klakte met mijn tong. 'Uh-uh, dat is niet genoeg. Je weet dat ik onze status... wil bekronen.'

'Waarom?' fluisterde hij. 'Welke status? Dat maakt niemand toch iets uit, behalve jou en mij?' Hij probeerde me naar hem omhoog te trekken en ik voelde hoe onze lichamen zich in hun natuurlijke positie voegden. Ik moest mezelf dwingen om me van hem los te maken.

'Maar míj interesseert het wel.'

'Nat,' verzuchtte Mike. Hij ging rechtop zitten en haalde zijn vingers door mijn haar. 'Ik weet dat je erover hebt lopen fantaseren dat wij samen op het gala gekroond worden vanwege, zeg maar, onze hele relatie, maar je weet toch ook wel dat na de Palmetto-verkiezing het leven gewoon doorgaat, hè?'

Mike grijnsde naar me zoals hij altijd deed als ik me liet meeslepen. Zijn donkerbruine ogen plooiden zich helemaal en zijn donkere golvende haar viel over zijn voorhoofd. Ik moest Binky, zijn huishoudster, eraan helpen herinneren dat zijn haar al drie, nee, meer dan vier dagen geleden geknipt had moeten worden – hoewel het er nu wel leuk uitzag.

Maar goed, met 'leuk' schoten we in dit stadium van ons leven niks op. Waarom was ik de enige in deze kamer die zich daar rekenschap van leek te geven? Op dit soort momenten realiseerde ik me altijd dat Mike geen idee had van wat het betekende om ergens je best voor te doen. Het was bijna alsof hij er, als hij het niet al in zijn bezit had, of als hij het met zijn charme niet kon krijgen, geen boodschap aan had. Ik vroeg me wel eens af of hij eigenlijk wel in staat was om iets te wíllen waar je moeite voor moest doen.

Nu boog hij zich naar voren voor een kus, maar ik hield hem van me af door met twee vingers tegen zijn borst te drukken. Hij bevond zich op een paar centimeter van mijn mond.

'Als Justin Balmer er met jouw kroon vandoor gaat, ga ik dood,' zei ik.

Mike zuchtte en liet zich weer op bed vallen.

'Ik begin niet weer met jou over J.B.,' zei hij. Hij keek omhoog naar de gloed van de zonnestelselstickers die we toen we net bij elkaar waren op zijn plafond hadden geplakt, in de tijd toen verkiezingsdromen nog net zo ver weg leken als de sterren aan de hemel buiten.

'Niet te geloven dat het jou zo weinig interesseert dat het mij zoveel interesseert.' Ik sloeg met mijn vuist op het bed, waardoor er nog meer golven ontstonden. Toen stak ik die snel in mijn andere hand, om mezelf tegen te houden. 'Heb jij mijn gele jasmijn eigenlijk al besteld?'

Let op: mocht je dit op een andere planeet lezen: de gele jasmijn is niet alleen de officiële bloem van South Carolina, het is ook van oudsher de corsage die bij feesten op Palmetto High School wordt gedragen. Natuurlijk heeft het ordinaire zuidelijke gevoel voor design zich ondertussen van die traditie meester gemaakt, zodat vandaag de dag de gele jasmijn als het ware de verre nouveau riche-neef is van wat hij ooit was.

Vroeger plukten jongens gewoon handenvol van de goudkleurige wilde bloem en speldden die op een broche. Maar tegenwoordig kun je de gele jasmijn alleen maar bestellen bij de bloemist, en zien alle bloemen eruit alsof ze met steroïden opgekweekt worden. Ze zijn van zijde, ongeveer ter grootte van een frisbee, en versierd met alle toeters en bellen (en linten, stickers, fotobuttons en schoolemblemen – en ik heb er zelfs een gezien die licht gaf en waar muziek uitkwam) die je date zich kan veroorloven.

Jongens bestellen ze altijd al weken van tevoren, en meisjes dragen hun gele jasmijn op de dag voor het feest al naar school. Dat is de enige keer in het jaar dat je cheerleaders in tuinbroek ziet – het voorstukje van spijkerstof kan het gewicht het best dragen. Gele Jasmijn-dag is zoiets groots geworden dat je je, als je de pech hebt dat je niet voor het gala gevraagd bent, eigenlijk gewoon ziek meldt. Je kunt beter wegblijven dan dat je bloemloos op school moet verschijnen.

Ik weet dat het heftig klinkt. De bloemist moet in deze tijd van het jaar zelfs een heel team seizoensmedewerkers inhuren om hem te helpen alle corsages te maken. Zo is mijn moeder aan haar huidige baan gekomen – en aan haar huidige weldoener... Ik bedoel, vriend.

'Nat?' Mike streek met zijn duim langs mijn jukbeen en onderbrak daarmee mijn gedachten. 'Ik zei dat ik ze morgen ga bestellen.'

'Mike!' Ik sprong vol afgrijzen op. Het grootste, meest openbare bewijs van toewijding dat een jongen ten aanzien van zijn vriendin kon leveren was dat hij precies de goede gele jasmijn voor haar uitkoos. 'Het feest is al over een week! Je weet best dat de beste bloemen al vergeven zijn.'

Mike sloeg zijn been om me heen. Hij hengelde weer naar een kus, maar ik hield mijn adem in en perste mijn lippen op elkaar.

'Heb ik je ooit teleurgesteld?' vroeg hij.

Ik sloeg mijn armen over elkaar en kon niet besluiten of ik nu nep mokte of echt mokte. 'Nog niet,' antwoordde ik.

'Dat zal ik ook nooit doen,' zei hij.

'Dat geloof ik pas als je J.B. verslaat bij de prinsverkiezing.'

Mike rolde met zijn ogen en grijnsde. 'Die tunnelvisie van jou is heel sexy. Maar ik heb je toch al gezegd dat Balmer nu helemaal oké is? Hij heeft me daarstraks nog zijn kostuum voor het feest van dit weekend laten zien.'

O mijn god, in alle opwinding was ik de beruchte Mardi Gras-soiree van Rex Freeman helemaal vergeten.

Het was de enige keer in het jaar dat elke leerling van Palmetto, op een paar van de meest zelfingenomen godsdienstfanaten na, helemaal uit zijn dak ging. Alle meisjes droegen steevast een masker met veren en netkousen, maar ik was vastbesloten om met iets op de proppen te komen waarmee ik opviel tussen alle wannabe sloeries. De jongens droegen allemaal een Panama-hoed, hadden een heupflacon in hun jaszak en droegen een amper dichtgeknoopt overhemd. Vaak zagen ze er uiteindelijk nog pikanter uit dan de meisjes.

Ik vond het leuk om elk jaar een kostuum voor ons uit te kiezen, maar ik vond het nog wel het leukste om iedereen de volgende ochtend weer helemaal fris gedoucht en netjes voor de kerk te zien, terwijl je nog steeds voor je zag hoe ze de dag ervoor hun borsten hadden laten zien om een kralenketting toegeworpen te krijgen. Daar verheugde ik me elk jaar weer op, maar die dag werkte de gedachte aan het feest van Rex me alleen maar op de zenuwen.

'Nou en?' vroeg ik hooghartig aan Mike. 'Waren J.B. en jij in de kleedkamer lekker klef aan het doen?' Mike en ik waren het er al over eens geworden dat we ons kostuumplan dit jaar tot het feest zelf geheim zouden houden.

'Natuurlijk niet,' zei Mike schouderophalend. 'Alleen dat van hem. Die gast gaat een veren boa dragen. Om te gillen.'

'Ik durf het te betwijfelen,' zei ik. Ik werd niet warm of koud van de gedachte dat J.B. dronken met een knalroze veren boa rond liep te wankelen – tenzij die

22

veren boa gebruikt kon worden om hem in het openbaar te vernederen c.q. te vernietigen.

Toen legde Mike zijn duim tegen mijn lip. 'Hé,' zei hij zacht. 'Als ik nou beloof dat ik jou een gele jasmijn bezorg waarbij geen enkele andere gele jasmijn in de schaduw kan staan, zou je me dan nu al willen kussen?'

Ik boog me naar hem toe en probeerde de blik in zijn ogen te peilen. Hij zag eruit alsof hij bloedserieus was. Ik vroeg me af of dat zou veranderen als ik hem een paar onsmakelijke details over J.B. vertelde. Daarvoor zou ik wat informatie over mijn verleden moeten prijsgeven die ik naar de krochten van mijn geest had verbannen, maar je weet wat ze zeggen over als de nood aan de man is.

'Kom op,' fleemde hij weer. 'Kus me nou.'

Ik trok Mike naar me toe, zodat onze lippen elkaar net raakten toen ik verder praatte. 'Als ik je kus, beloof je dan dat je je kostuumplannen tot zaterdagavond voor J.B. geheim houdt?'

Mike fronste zijn voorhoofd zoals hij altijd deed als hij mijn logica niet goed kon volgen, maar me wel genoeg vertrouwde om er verder geen vraagtekens bij te zetten. Zijn sterke handen sloegen zich om me heen en hij drukte zijn lippen op de mijne. Zijn tong duwde mijn mond uiteen, en toen ik me voor hem opende, voelde ik dat er een heel nieuw soort kracht in me stroomde.

3 BAAS BOVEN BAAS

Als je met zuidelijke royalty omgaat, moet je altijd zorgen dat je verschillende outfits bij je hebt.

Je hebt de outfit voor overdag (een minuscule bikini met iets van zwarte voile voor eroverheen), die je meeneemt naar de villa aan zee van je vriend voor het tochtje na het eten op zijn hypermoderne speedboot... en dan heb je nog het lavendelkleurige tennisjurkje van tricot en het smetteloos witte vestje dat je in je tas hebt gegooid voor het geval zijn blauwbloedige ouders onverwacht voor het eten langskomen... Alweer.

'Kijk nou eens wie er in de buurt is!' kwinkeleerde Diana King toen ze de hal binnen stapte van het weekendhuis van de familie King. Ik luisterde of ik de *boink* van haar krokodillenleren weekendtas op het Perzische tapijt midden in de reusachtige hal hoorde. Vervolgens hoorde ik het spervuur van haar stilettohakken op het glanzende marmer tikken, toen ze in een rechte lijn de trap op liep naar de deur van het boudoir van haar jongste zoon, waar ze duidelijk weigerde aan te kloppen.

'Nu moet ik in actie komen,' kreunde ik, en ik rolde van Mike af en de donkerblauwe doorgestikte sprei op. Ik wist wel dat ze hier zou komen rondneuzen voordat Mike zelfs maar een beetje had kunnen bijkomen van al het zware werk dat ik verricht had.

'Wordt vervolgd,' zei Mike, terwijl hij met zijn lippen aan mijn oorlel trok. 'Hallo, mam,' riep hij luidkeels, terwijl hij naar de andere kant van de kamer liep om in zijn mahoniehouten hutkoffer wat kleren te zoeken.

Ik slaagde erin me schaars gekleed en wel in Mikes badkamer met jacuzzi op te sluiten, precies een nanoseconde voordat Diana de slaapkamer overnam. Ze ging in de deuropening staan en ik rook Shalimar, haar vaste parfum. Aan het gehaaste gerommel in de kamer ernaast te horen stond Mike zich nog steeds in zijn shirt te wurmen. Geweldig. Alsof Diana nog meer munitie nodig had om tegenover mij de ijskoningin uit te hangen.

'Ik wist niet dat jullie vandaag hierheen zouden komen,' zei Mike gladjes, terwijl hij waarschijnlijk overeind kwam om haar op allebei haar wangen te kussen, want dat wilde ze altijd per se. 'Wat komen jullie doen?'

Ik hoorde Diana een afkeurend 'tsk'-geluid maken, en ik moest denken aan de favoriete uitdrukking van míjn moeder over die irritante blauwbloedgewoonte om in onomatopeeën te spreken: alsof ze niet rijk genoeg zijn om klinkers te kopen?

'Lieverd, doe niet zo verbaasd,' zei Mikes moeder. 'Je denkt toch niet dat Natalie de enige is die graag van onze villa gebruik maakt? Want ik neem aan dat zij hier ook is?'

Snuf, snuf. Ik stelde me voor hoe haar cosmetisch verbeterde neus met aangepast tussenschot zich opensperde van amper verhulde argwaan.

'Ze staat eh... onder de douche,' hielp Mike me uit de brand, en ik draaide prompt de kraan open. Ik had pas onder de douche willen gaan nadat we klaar waren met waar we in de slaapkamer mee begonnen waren én nadat we een paar uur op de boot naar de zonsondergang hadden liggen kijken. Maar ja, het was niet ongebruikelijk dat onze plannen, zodra Mikes moeder een gastrolletje kwam vertolken, om zeep geholpen werden.

Ik begon maar verontwaardigd mijn haar te wassen. Een paar minuten later voelde ik een koude luchtstroom, doordat het douchegordijn werd opengeschoven, en ik schrok op.

'Jezus,' zei ik naar adem happend, 'ik dacht dat het...'

'Mijn moeder was, om je rug lekker in te zepen?' Hij trok een wenkbrauw op.

'Kom eronder.' Ik pakte zijn arm en wilde hem naar binnen trekken. Eindelijk werd het weer een beetje zoals zou moeten: dampend.

Maar Mike keek om zich heen alsof zijn familie ons met z'n tweetjes in de badkamer kon zien staan.

'Ik kan niet,' zei hij. 'Ik moet mijn ouders helpen de auto uit te laden. Mijn moeder hoopt dat we met z'n allen kunnen eten.'

'Eten?' zei ik. Eten *chez* Diana was helemaal niet het plan. Ik moest met Mike alleen zijn om ons voor te bereiden op onze grote week. 'En het meer dan?'

Mike pakte de spons uit mijn hand, draaide me met één handige polsbeweging om en begon mijn schouder in te zepen.

'Niet op een ander onderwerp overstappen,' kreunde ik.

'We kunnen er niet onderuit,' zei Mike. 'Ik neem je na het eten wel mee het water op.'

Ik draaide snel mijn hoofd om. 'Alleen wij met z'n tweetjes?'

'Op een doordeweekse avond,' zei hij met een knipoog.

'O,' zei ik glimlachend, 'wat zal mijn moeder daarvan denken?'

Redelijk schoon en keurig gekleed in de tennisjurk die Mike zelfs voor me op het bed had klaargelegd – dacht hij soms dat ik in die bodystocking aan tafel zou verschijnen? – liep ik bonkend de hardhouten trap af.

Door de openslaande deuren zag ik meneer en mevrouw King lekker op het terras zitten, uitziend op het glinsterende water aan de westkant van de Cove. Diana zat met haar benen over elkaar in een donkerblauw mantelpak de krant te lezen en van haar symbolische glas Viognier te nippen. Haar haar met highlights zat in een lage knot in haar nek opgestoken en haar foundation was, zoals altijd, smetteloos aangebracht. Mikes vader, Phillip, die in elk deel van zijn lichaam de stress zichtbaar met zich meedroeg – en op wie Mike alleen qua uiterlijk leek – zat met gefronst voorhoofd in zijn mobiele telefoon te brullen. De neus van zijn gepoetste, nette, zwartleren schoen maakte gehaast rondjes in de lucht.

Niets wees op het ophanden zijnde ouderlijke etentje. Maar toen ik het veelzeggende gekletter van pannen achter de dichte keukendeuren hoorde, begreep ik het. Dat geen enkele King ooit een voet in die keuken had gezet sinds ze de tekening van de architect hadden goedgekeurd, betekende nog niet dat niet iemand anders ter ere van hen een feestmaal aan het bereiden was. Ze konden die vijftig kilometer naar de kust natuurlijk niet zonder 'hulp' afleggen. Ze hadden hun huishoudster Binky op sleeptouw genomen.

Binky en ik hadden een ingewikkelde relatie. Er waren momenten, zoals nu, dat ik met haar bijna meer contact had dan met de rest van Mikes familie. Ik wist dat ze, als ze niet bij de Kings inwoonde, in mijn oude buurtje woonde, in Cawdor, aan de andere kant van de brug. De eerste keer dat ik Binky ontmoette, hadden we zelfs gezellig gekletst over onze gezamenlijke liefde voor de *huevos rancheros* van Dos Hermanos, een Mexicaans tentje vlak bij haar huis. Pas toen mevrouw King haar hoofd schuin hield naar mij en vroeg wanneer ik in vredesnaam ooit iets aan die kant van de stad te zoeken had gehad, herinnerde ik me mijn nieuwe status aan deze kant. Ik moest me eruit redden door iets te stamelen over dat ik er niet trots op was, maar dat ik een keer tijdens rijles verdwaald was. Daarna werd ik een stuk voorzichtiger in wat ik wel en niet tegenover Binky zei. Inmiddels wist ik dat dat gemakkelijker ging als ik de lijn tussen personeel en mezelf niet overschreed.

'Ah, daar ben je,' zei Mike, die vanuit de bibliotheek binnenkwam. Hij gaf me een kus op mijn voorhoofd, helemaal keurig zoals het hoorde. 'Ik hoop dat je het niet erg vindt, maar mijn moeder zag je jurk en heeft Binky gevraagd of ze hem wilde strijken.'

'Heeft je moeder in mijn spullen geneusd?' vroeg ik. Dus Diana, en niet Mike, had mijn jurk klaargelegd. Ik dacht niet dat er iets verdachts in mijn tas zat, maar ik wilde bepaald geen precedent scheppen en Diana voortaan de vrije hand met mijn spullen geven.

'We wilden je alleen maar helpen om je snel te kunnen omkleden,' zei Mike, die altijd alles gladstreek. 'Over omkleden gesproken, krijg ik nog een late-night preview van je kostuum voor morgen?'

Het Mardi Gras-feest. Ik had eindelijk besloten wat ik zou aantrekken, en na een klein ruzietje met Mike – waarom wilden jongens toch altijd make-up op en een panty aan? – had ik hem ervan weten te overtuigen dat we dit jaar iedereen versteld zouden doen staan door het over de stijlvolle boeg te gooien. Je kon er vergif op innemen dat al mijn vrienden nog steeds met die saaie bordeelwerknemerslook zouden komen, en ik vond het wel een leuk idee om de enige dame van het gezelschap te zijn. Mikes nonchalante outfit van dit jaar was al net zo belangrijk. Hij zou echt opvallen – vooral naast Justin Balmer in mini-jurk.

'Onze kostuums voor morgen zijn nog een verrassing, toch?' zei ik tegen Mike. 'Je hebt toch niks tegen J.B. of iemand anders gezegd, hè? Dit is onze kans om ze allemaal in de schaduw te stellen, om ze te laten zien dat wij het echte prinsenpaar zijn.'

'Vertrouw mij nou maar,' zei Mike, en hij pakte mijn hand om zijn koninklijke familie buiten te gaan begroeten, 'we blazen ze allemaal van hun sokken op dat feest.'

'Hallo, Natalie.' Meneer King stond op om me heel heftig in mijn schouder te knijpen. 'Wat ben je bruin!' zei hij, terwijl hij me van top tot teen opnam.

'Lieve hemel,' zei Diana, die over haar krant heen naar me tuurde. 'Zeg dat wel, hartstikke bruin.'

'Golflessen,' zei ik snel, voor het geval iemand zou denken dat ik op het land had gewerkt. 'Op de club.'

Diana keek omlaag naar haar eigen armen. 'Ik ben zo bleek, ik lijk Scarlett

O'Hara wel. Je weet toch dat dat vroeger mode was, hè?' Ze keek om en schonk ons allemaal een glimlach met dichte lippen. 'Wie heeft er zin om vanavond buiten op het terras te eten?'

Mike liet het met een schouderophalen aan mij over.

'Natuurlijk,' zei ik, en ik ging op de patio tussen zijn ouders in zitten. Zoals mijn moeder altijd zei: het maakt niet uit waar je bent; als je doet alsof je thuis bent, ben je ook thuis. Maar ja, ik wist niet of mijn moeder met haar beperkte arsenaal uit een bibliotheekboek over etiquette bij deze mensen veel was opgeschoten.

Vooral niet bij zo iemand als Diana, die een zilveren belletje van het glazen tafelblad pakte en met haar dunne Scarlett O'Hara-bleke pols schudde. Het hoge blikkerige geluid galmde door de tuin, en ik dacht na over hoe dit onuitgesproken bevel voor iemand op het water van de baai zou klinken. Maar ach, de huizen in de Cove lagen zo ver uit elkaar dat de Kings en ik misschien wel de enigen in een omtrek van kilometers waren.

Een paar seconden later verscheen Binky om te horen wat ze moest doen. Ze had een gesteven zwart uniform aan dat naar lavendel rook, en de veters in haar stevige zwarte schoenen waren dubbel gestrikt. Haar korte donkere haar had de veelzeggende blauwachtige tint van kleurshampoo van de drogist. Toen ze verwachtingsvol voor de familie King kwam staan, oogde haar glimlach wat slapjes.

'Onze gast wil graag buiten eten,' zei Diana. 'Ik hoop dat dat niet te veel gedoe voor je is.'

'Nee hoor, helemaal niet,' zei Binky met een knikje. Ze keek naar mij. 'Hallo, juffrouw Natalie.'

Ik glimlachte en knikte terug naar Binky, maar besloot mijn mond te houden. Het was pas de honderdste keer dat ik met Mikes ouders zou eten, maar ze bleven me steevast de 'gast' noemen.

Het was zo rond de tijd van het jaar dat het in Charleston nog warm genoeg was om te zwemmen, en het kwam altijd als een verrassing dat de zon opeens zo vroeg onderging. Terwijl iedereen zat te wachten tot iemand anders het gesprek vlot trok, wierp het baldakijn van dennenbomen boven ons een helgroene kleur over de familie King en mij. Krekels tsjirpten in de schemering. Een dennenappel viel met een plof op de grond.

Toen we stemmen bij de steiger hoorden, begon Diana te stralen en stond ze op van haar stoel. Ze maakte haar bekende polsdraai van de voormalige schoonheidskoningin naar Mikes broer, Phillip jr., en zijn nieuwe verloofde, Isabelle, die het pad op gelopen kwamen.

Ik zag dat er een zeilboot in de jachthaven van de Kings aangemeerd lag, maar de op elkaar afgestemde witte avondkleding van Phillip en Isabelle zag er zo pas gestreken uit dat ik aannam dat ook zij een paar betaalde hulpjes aan boord hadden.

'Jullie zijn er!' riep Diana.

Isabelle deelde een paar luchtkusjes uit en Phillip jr. schoof aan bij de bar. 'We hoorden jullie etensbelletje en wisten niet hoe snel we moesten komen,' zei hij droogjes, terwijl hij een whisky voor zichzelf inschonk.

Ondanks zijn naam had Phillip jr. toen hij het afgelopen jaar zijn studie geneeskunde had afgerond, niet voor het radiologiebedrijf van de familie gekozen. In plaats daarvan was hij zijn eigen praktijk begonnen en was sindsdien een van de populairste plastisch chirurgen van Charleston geworden. Er werd heel geheimzinnig over gedaan – plastische chirurgie zat in een familie van 'echte' dokters namelijk tegen het onaanvaardbare aan – maar te zien aan de rimpelloze huid rond Diana's ogen, wanneer ze naar haar toekomstige schoondochter glimlachte, was het zonneklaar dat iemand de voordelen had ontdekt van een zoon met een onuitputtelijke voorraad botox.

'Isabelle, liefje, ik vertel Natalie net dat Phillip en jij de boot aan het opknappen zijn,' jokte Diana, terwijl ze de blonde vlechten van haar toekomstige schoondochter gladstreek, die er opvallend echt uitzagen.

Ze keerde zich naar mij toe. 'Ik had je graag uitgenodigd om na het eten een tochtje met ons te maken, maar,' zei ze aarzelend, zoekend naar de juiste woorden, 'jij geeft geloof ik de voorkeur aan iets snellers.'

De messen werden al vroeg geslepen die avond; we waren amper met het aperitief begonnen. Hoe moest ik terugbijten dat ik nog liever mezelf met het anker liet zinken dan dat ik nog eens drie uur op een of andere zeilboot met de familie King zat te lummelen?

Mike had me een tochtje met z'n tweetjes bij maanlicht op de speedboot beloofd. Maar toen ik naar hem keek, terwijl hij op verzoek van zijn vader zijn golfslag over het gazon stond voor te doen, wist ik dat ons boottochtje ogenblikkelijk in rook zou opgaan, zodra hij lucht had gekregen van een tocht met de boot van Phillip jr. Mike hield er niet van om buiten de plannen van de rest van de familie gehouden te worden. Het klassieke jongstekindcomplex.

'O, we zouden dolgraag meegaan,' zei ik. 'Ik heb mezelf er alleen al jaren niet meer toe kunnen zetten om aan boord van een zeilboot te gaan – niet na wat er met mijn vader is gebeurd.' Ik bleef Diana aankijken. 'Mike zal jullie toch wel over het ongeluk verteld hebben?'

'Natuurlijk,' zei Diana vlak. Ze hield haar hoofd iets schuin en richtte zich toen weer tot Isabelle. 'Nou, wij zullen het verder vast wel een heerlijk tochtje vinden,' zei ze met een klopje op de hand met acrylnagels van haar beschermelinge. 'O, daar is Binky om nieuwe drankjes te verzorgen, godzijdank.'

Toen de rest van de familie op het zilveren cocktailplateau aanviel, ging ik naar Mike toe en trok hem aan zijn mouw.

'Ze praat nog steeds tegen me alsof ik een wegwerpartikel ben,' zei ik met opeengeklemde kaken.

Mike legde zijn arm om mijn middel en kneep in mijn zij. Eén te korte seconde lang waren de anderen verdwenen.

'Het is niet persoonlijk bedoeld, Nat; het is traditie.' Hij zei het op een toon die aangaf dat ik dit al wist. 'Mijn moeder kreeg pas oog voor Isabelle toen Phillip een ring aan haar vinger had geschoven. En haar familie en de onze zijn al generaties lang met elkaar bevriend.'

Daar zou je het hebben. Zelfs wanneer Mike me probeerde te troosten moest en zou de immer aanwezige hiërarchie van afkomst in Charleston ook om het hoekje komen kijken. Wat was ervoor nodig om de familie King te laten denken dat ik ook een plekje aan hun hof waard was?

'Even voor alle duidelijkheid,' zei ik snel toen Binky een dienblad met salades op een karretje naar buiten reed, 'maar ik heb het aanbod van je moeder om na het eten een tochtje met de zeilboot van P.J. te gaan maken afgeslagen.' Voor Mike een klacht kon indienen, voegde ik eraan toe: 'Je weet dat ik zenuwachtig van die lui word.'

'O ja?' Mike keek niet-begrijpend.

We werden onderbroken door het gerinkel van de bel.

'U kunt aan tafel,' liet Binky weten, en het hele gelukkige gezinnetje nam plaats. Toen ik mijn naambordje zag, met Mike recht tegenover me, moest ik grijnzen. Ik durfde zeer te betwijfelen of Diana wel tot deze tafelschikking opdracht had gegeven als ze enig idee had waar mijn voet onder tafel stiekem naartoe op weg was. Wie hield er ook alweer van iets snels, mevrouw King?

'Zo Mikie,' zei Phillip jr., terwijl hij boter op een koekje van zoete aardappel smeerde. Ik had een hekel aan dat koosnaampje. 'Ik kreeg vandaag de moeder van Justin Balmer op consult.'

Heb ik al gezegd wat een verschrikkelijke saaie zak die Phillip jr. meestal was? Plotseling was ik echter een en al aandacht.

'Aan de manier waarop ze praatte te horen zijn de wallen onder haar ogen niet het enige wat op Palmetto aan het zakken is,' ging hij verder. 'Hoe sta jij ervoor in de prins-prognose? Raaskalt mevrouw Balmer maar wat of zit J.B. je echt op de hielen?'

Diana liet geschrokken haar vork op haar bord vallen. Ze keek meteen naar Mike.

'Phillip maakt maar een grapje, mam,' zei Mike schouderophalend.

'Helemaal niet,' sneed Phillip hem de pas af. Hij keek naar zijn ouders. 'Hoeveel generaties van de familie King zijn er al op Palmetto gekroond? Vier, of waren het er vijf?'

'Elke generatie, om precies te zijn, sinds de school is opgericht,' zei Phillip sr., terwijl hij gebaarde dat Binky zijn bord kon afnemen. Hij bracht zijn steakmes omhoog en wees ermee naar Mike, zodat het wel een verlengstuk van zijn lichaam leek. 'Het is niet zomaar een schoonheidswedstrijdje waar je luchtig over kunt doen, Michael. Je weet dat onze familie een uitstekende staat van dienst heeft.'

Ik had altijd gedacht dat Mike zo nonchalant over die prinsverkiezing deed omdat zijn familie misschien niks van dat soort dingen moest hebben, maar nu begreep ik eindelijk een van de vele stilzwijgende machtsstrijden die ik met Diana had uitgevochten: elke dag schoof ik na school Mikes ingelijste nationale brevet van verdienste voor de beste leerlingen van het land naar de voorkant van zijn bureau, maar zodra ik naar huis was zette iemand er zijn footballtrofee voor in de plaats.

Succes was dus standaard voor de familie King. Als de volwassen leeftijd bedoeld was voor serieuze prestaties op werkgebied... zou het dan kunnen zijn dat de middelbare school in hun ogen stond voor sport en populariteit, en zelfs in die mate dat die in nog hoger aanzien stonden dan leerprestaties? De familie King vond de Palmetto-verkiezing dus net zo belangrijk als ik. Plotseling veranderde dit etentje van oersaai in bijzonder voordelig.

'Natuurlijk, wie herinnert zich niet de voorbeeldige kroningstoespraak van Phillip jr.?' riep Diana, terwijl ze haar mond met een servet depte. 'Hoe ging het ook alweer, liefje? "Als dank voor deze mij toebedeelde eer..."'

'"Zal ik jullie volledige vertrouwen winnen",' maakte Phillip jr. de zin voor haar af, en hij knikte er zelfingenomen bij. Ik rolde met mijn ogen naar Mike om hem duidelijk te maken dat hij dat pareltje bij onze kroning wel achterwege kon laten.

Phillip jr. liet zijn stem zakken en draaide zijn hoofd schuin van zijn moeder af. 'Maar als jullie het Isabelle vragen, zal zij zeggen dat ze zich van die dag niet mijn verbale bekwaamheid herinnert,' mompelde hij, en hij stootte Mike even aan. 'Niet schrikken als je mijn koets ziet wiebelen – als je begrijpt wat ik bedoel.'

Mike en hij gniffelden gebroederlijk samen – wat zelden gebeurde – om de verwijzing naar wat zich tijdens de beroemde snelle rit van de prins en de prinses op weg naar de kroning achter de dichte deuren van het rijtuig afspeelde. Het was een van de oudste tradities van Palmetto en ook een waar het grootste taboe op rustte. Een halfuur voor de kroningsceremonie hield een door een paard getrokken rijtuig twee keer halt bij Scot's Glen Country Club. Eerst om de prins in de clubzaal op te halen, en dan om de prinses voor de lounge voor de dames op te pikken. De bijna-gekroonde hoofden maakten dan een rit langs alle achttien holes van de golfbaan en werden afgezet om voor de ceremonie een luisterrijke entree te maken, net op tijd om hun speech te kunnen afsteken.

Afhankelijk van de relatie tussen de toekomstige prins en prinses kon het in het rijtuig een beetje ongemakkelijk worden, of juist een hitsige bedoening. En op school werd daar natuurlijk altijd gretig over gespeculeerd. Als er ook maar een beetje chemie tussen de prins en de prinses was, en je stuurde de prinses het rijtuig in, dan stond dat zo ongeveer gelijk met een bruid het echtelijk bed in jagen. Vandaar die schuine toost van Phillip jr., en vandaar Isabelles ijzige niet-waar-je-ouders-bij-zijn-blik.

'En jij, Natalie?' vroeg ze om het gesprek weer naar fatsoenlijker terrein te loodsen. 'Doe jij ook mee aan de verkiezing om prinses te worden?'

Voor ik mijn mond kon opendoen, zei Diana vinnig: 'Nou niet van onderwerp veranderen, Isabelle.'

Ik gebruikte mijn teen om Mike een duwtje in zijn kruis te geven. Toen zijn hoofd omhoogschoot en hij me aankeek, trok ik mijn wenkbrauwen zo verleidelijk dreigend mogelijk op als de situatie aan de eettafel maar toestond. Hoog tijd om je verantwoordelijkheid te nemen, liefje.

'Niemand verandert van onderwerp,' zei Mike gehoorzaam. 'Als ik al win, is het vanwege Nat.'

Diana liet de tanden van haar vork tegen haar bord stoten; ze realiseerde zich niet dat de hele tafel op het ritme van haar zenuwen meetrilde. Ik stopte nog een hapje biefstuk in mijn mond en genoot van elke verrukkelijke seconde. Ik had Diana King nog nooit zo onbeheerst gezien. Haar pokerface had iets adembenemend doorzichtigs:

Had ze haar plichten als high-society-moeder verzaakt?

Moest ze soms met iemand praten?

Was het... (naar adem happen)... te laat?

'Echt, meneer en mevrouw King,' zei ik op lieve toon, terwijl ik een hand op Diana's arm legde om de vork stil te krijgen, 'jullie hoeven je nergens zorgen over te maken.' Ik wurmde mijn teen nog verder tussen Mikes benen en vroeg me heel even af wat voor lofbetuigingen ik zou krijgen als ik met uitsluitend mijn tenen zijn gulp zou weten open te krijgen.

'Dat is gemakkelijker gezegd dan gedaan, lieve kind,' zei Diana tegen mij.

'Nemen jullie van mij aan,' zei ik, waarbij ik elk woord gewicht verleende, 'dat jullie zoon en ik een gegarandeerde toegang hebben gevonden.' Ik keek even naar Mike en maakte hem ten overstaan van zijn uiterst gesloten familie open. 'Het duurt niet lang meer... en dan hebben we beet.'

Mike zette zijn tanden in zijn lip. Soms wist je niet of hij rood aanliep doordat hij opgewonden was of dat hij zich schaamde voor een onschuldig grapje ten overstaan van zijn familie. Maar toen Binky met een hapje tussendoor kwam om de smaakpapillen op te frissen, leek iedereen blij te zijn met deze onderbreking.

'Dank je wel, Binky,' zei Diana, en ze voegde zich weer in haar rol van koningin. 'Ik denk dat we je zullen vragen om het nagerecht aan boord van P.J.'s zeilboot te serveren. Alleen voor ons viertjes, uiteraard.' Ze gebaarde naar iedereen, behalve naar Mike en mij.

Mike keek me aan. 'Weet je zeker dat je niet...'

'Je moeder en ik hebben het er al over gehad, weet je nog? Ze was zo goed om rekening te houden met mijn gevoelens na wat er met mijn vader is gebeurd.'

'Natuurlijk,' zei Mike met een knikje, en hij keek er ongemakkelijk bij, omdat hij er uit zichzelf niet meteen aan had gedacht. Niet dat ik hem dat kwalijk nam – het was nou ook weer niet zo dat ik de hele tijd liep rond te bazuinen dat mijn vader vermist was. Het tragische zeilongeluk was gewoon een verhaal dat me goed van pas kwam – netjes genoeg voor in gezelschap en zo tragisch dat niemand, ook Mike niet, ooit naar details vroeg. 'Dan nemen wij de speedboot even, mam, als jullie het goedvinden.'

'Doe waar je zin in hebt,' zei Diana, terwijl ze opstond om ons van tafel te excuseren. 'Als je maar goed onthoudt dat het bij die prinsverkiezing van volgende week om wel meer draait dan alleen maar doen waar je zin in hebt.' Ze keek naar mij. 'Dan gaat het om de familie-eer.'

Toen Mike en ik over het pad naar de jachthaven liepen, wenkte hij me achter de dennenboom waar we ooit onze initialen in hadden gekrast. We stonden tegen elkaar aan gedrukt tussen de dichte begroeiing met venusvliegenvangers met hun groene monden, die als zonnevlekken in de achtertuin van de familie King groeiden. De vleesetende kaken van de plant stonden open, in afwachting van hun avondmaaltijd.

'Mijn moeder en jij spelen vast onder één hoedje over mijn campagne voor de Palmetto-prinsverkiezing,' plaagde hij. 'Hé, het spijt me van dat gedoe met die zeilboot. Ik had het me moeten realiseren.'

'Onderwerp gesloten,' zei ik snel. 'En als ik je de kroon kan bezorgen door met je moeder onder één hoedje te spelen, dan denk ik wel dat ik dat een week uithoud.'

Maar ik had helemaal niet het gevoel dat ik met Diana onder één hoedje speelde. Mijn trots was zelfs behoorlijk gekrenkt door die opmerking over haar 'familie-eer'. Waarom zat Mike daar nou helemaal niet mee? Hij was al bezig de boot los te maken. Terwijl ik keek hoe zijn armen zich spanden, begon mijn lichaam te gonzen. Echt te gonzen. O nee, wacht, dat was mijn telefoon, die in mijn tas gonsde.

Ik trok een grimas, want ik dacht dat het mijn moeder zou zijn, die wilde dat ik onderweg naar huis ergens nog een fles wijn voor haar kocht. Er was nog nooit een moeder zo blij geweest toen haar kind haar eerste valse identiteitsbewijs kreeg.

Maar dit sms'je was iets anders dan het bekende drankverzoek van mijn moeder:

Wie denk je dat er uit de spreekwoordelijke dood is opgestaan? Ik ben weer een vrij man en wil dat met mijn lievelingsdochter vieren. Zullen we even ergens iets drinken?

De coole façade die ik tijdens het eten had weten op te houden, ging plotseling in rook op. Een dikke, zwarte watermocassinslang glibberde langs mijn voeten en ik moest de houten reling van de jachthaven vastgrijpen om op de been te blijven.

'Nat?' riep Mike vanaf de boot. 'De motor loopt. Kom erin, dan kan ik met die van jou aan de slag.'

'Ik kom zo,' zei ik hees.

Uit de dood opgestaan, zeg dat wel.

Mijn vader.

4 SPILZIEKE AMBITIE

'Leg me nou eens uit hoe het komt dat je zo kalm bent,' zei Kate de volgende ochtend tijdens de brunch tegen me. We zaten aan het met palmbomen omzoomde plankier van Catfish Row, bezig aan onze tweede cappuccino, op het terras van het beroemde MacLeer's Biscuit Café.

Iedereen die op Palmetto zit kan je vertellen dat MacB's dé plek is om te brunchen, niet alleen vanwege hun karnemelkkoekjes en zelfgemaakte perziken-jam, maar ook vanwege de kans om te zien wie zich met wie vertoont. Nu de regenwolken eindelijk hadden plaatsgemaakt voor de zon, liep het tegen de twintig graden en leek het wel of onze hele school over het historische houten plankier voor MacB's flaneerde.

Aan de ronde tafel voor acht personen, het dichtst bij de klinkerstraat, probeerden de leden van de leerlingenraad – die nooit pauze namen – tussen al hun uitpuilende mappen met plannen voor de verkiezing nog wat ruimte te maken voor hun bagels. Vlak bij het water had Tracy Lampert met haar gevolg van eersteklassers een amorf groepje gevormd, terwijl ze hun blote voeten van het plankier lieten bungelen en bloemen in elkaars haar vlochten. Aan mijn vaste tafeltje in de achterste hoek van het terras zat een club meisjes uit de hogere klassen naast elkaar op een lange rij naar de zee te kijken, terwijl ze hun quiche van eiwitten opaten.

'Om vijf uur een gezichtsbehandeling, Nat?' vroeg Jenny Inman in het voorbijgaan toen de meisjes achter elkaar naar de parkeerplaats liepen.

'Ik bel je nog wel,' zei ik met een glimlach, in een poging het vleugje verwarring te temperen over de vraag waarom ik die ochtend niet, zoals gewoonlijk, bij MacB's naast haar was komen zitten.

De meisjes wisten dat Kate een van mijn favoriete projecten was. Die ochtend had ik haar nog een second opinion aangeboden toen ze in de kringloopwinkel verderop in de straat een kostuum voor Mardi Gras stond uit te zoeken. Maar toen ik had gezien hoe ze aan haar cappuccino zat te slurpen en tegelijkertijd het uiteinde van haar lange paardenstaart op dode punten controleerde, én ons tengere serveerstertje probeerde te wenken voor de rekening, vroeg ik me af of Kate soms meer hulp nodig had dan alleen maar voor haar kostuum. Zo veel onnodig multitasken – en normaal gesproken was Kate altijd heel beheerst. Toen tot me doordrong dat ze nog steeds op een antwoord op haar vraag wachtte, besloot ik maar niet te zeggen dat drukke mensen vreemd genoeg altijd een ontspannende uitwerking op me hadden.

'Ik ben kalm,' opperde ik in plaats daarvan maar, 'omdat ik al een kostuum voor vanavond heb. Jij raakt in paniek,' zei ik, terwijl ik naar de drommen Palmetto-leerlingen in opgewonden Mardi Gras-stemming om ons heen keek, 'omdat je je overgeeft aan de *vibe.*'

Net op dat moment liep een groepje Bambi's rakelings langs ons tafeltje, jammerend over de beperkte hoeveelheid visnetpanty's maatje 34 in de verkleedwinkel om de hoek.

'Je hebt gelijk,' zei Kate, en ze keek me aan en lachte. Ze zwaaide haar amberkleurige haar over haar schouder. 'Naar de hel met die vibe!'

Ik bood haar een stukje kauwgum aan en hield mijn hoofd schuin naar de zee van vertrekkende Bambi's. 'Ik neem aan dat je dit jaar niet voor het eersteklasserskostuum kiest?' zei ik. 'Ik heb iets gehoord over... een chic bordeel?'

Kate snoof en tekende de creditcardafrekening die de serveerster eindelijk gebracht had. We stonden op en schoven onze rieten stoelen aan.

'Alsjeblieft zeg,' zei Kate, 'en dan zeker niet van zo'n Bambi te onderscheiden zijn?' Ze huiverde, waardoor haar lange haar glinsterde in de zon. 'Ik ga nog liever bij het kerkkoor.'

Ik grijnsde bij de gedachte aan Kate op het altaar met een groepje brave kinderen, en gooide voor we vertrokken nog een paar dollar op het tafeltje. Mijn moeder zou het tegenwoordig niet graag toegeven, maar ze was de eerste veertien jaar van mijn leven serveerster geweest, dus mij hoefde je niet te vertellen hoe onrechtvaardig het was om een te kleine fooi te geven.

Kate keek om zich heen en liet haar stem dalen tot een hese fluistertoon. 'Vanavond ga ik de deal met Baxter sluiten – die me nog steeds niet meegevraagd heeft naar het gala.'

'Vandaar dat je zo zenuwachtig bent!' plaagde ik haar. Baxter Quinn was de meest legendarische zuipschuit van Palmetto, én de dealer voor de meeste afterparty's van school. Hij was lang, had licht haar en was op zo'n slungelige manier sexy. Hoewel hij vaak amper op de been wist te blijven, had hij aan meisjes nooit gebrek.

'En vandaar dat jij zo kalm bent,' zei Kate, en ze trok me naar een reeks water-plassen op het houten plankier – en buiten gehoorsafstand van de rest van Palmetto. 'Je hebt de beste vaste date van de hele staat. Ik durf te wedden dat jij niet meer weet hoe het is om over een jongen in de zenuwen te zitten.'

Heel even sleepte ik met mijn voeten over het plankier. Over één man in het bijzonder in de zenuwen zitten was precies wat ik nou níét probeerde te doen – al sinds dat verontrustende sms'je van mijn vader van gisteravond. Laat ik volstaan met te zeggen dat het feit dat mijn vader 'weer vrij man' was, bepaald geen goed nieuws was, al vond hij zelf van wel.

Ik merkte nu al dat ik mijn kaak te hard liet werken op het stukje kauwgum dat ik net in mijn mond gestoken had. Elke keer als een stuk Juicy Fruit binnen vijf minuten zijn smaak kwijt was, wist ik dat ik een andere manier moest zien te vinden om te kalmeren.

Kate bleef staan voor een felgroen huis in zuidelijke stijl met twee verdiepingen, met rondom een paars geschilderde veranda. Aan de dakspanten hing een houten bord aan zijn scharnieren heen en weer te zwaaien: VROLIJKE VINTAGE.

Kate trok de glas-in-looddeur open en liep naar binnen. Net als de meeste tot lingeriezaken omgetoverde herenhuizen aan Catfish Row puilde Vrolijke Vintage uit van de decolletébevorderende artikelen. De muren waren behangen met posters van rondborstige filmsterren, en de rekken hingen vol met strapless beha's in alle soorten en maten. Maar aangezien de winkel aan een klinkerzijstraat van het gebaande pad van het plankier liep, had Kate me al verzekerd dat Vrolijke Vintage de enige winkel in de gegoede rosse buurt van Charleston was waar die dag geen Bambi te vinden zou zijn.

'Wat heeft dat gefronste snoetje te betekenen?' vroeg Kate terwijl ze naar me keek. 'Waar is de aanstaande-prinsessenglimlach gebleven?'

Ik zette de gedachten aan mijn vader uit mijn hoofd, in elk geval voorlopig, en gaf me met een onvrijwillig grijnslachje gewonnen. Kate had gelijk. Dat ik spoedig prinses zou worden was iets om over te glimlachen, vooral na alle plannen die we gemaakt hadden. Over een paar dagen – duimen maar – waren Mike en ik gelukkig gekroond.

Dan was al het campagne voeren achter de rug en konden we genieten van het succes van al het werk dat we samen verzet hadden. Dan zouden we tot laat opblijven, onze kroningstoespraken redigeren en onze wals voor het gala oefenen. Ja, we hadden een wals. En na het gala zouden we een fles champagne inpakken en linea recta naar ons plekje bij de geheime waterval in de buurt van Mount Pleasant gaan, en pas thuiskomen tegen de tijd dat de zon weer opkwam. We zouden lekker met z'n tweetjes zijn, precies zoals we het al die tijd gepland hadden.

'Juist, dat bedoel ik nou,' zei Kate met een knikje, terwijl ze de verandering in mijn houding waarnam. 'Goed, dan nu over op mijn belangrijkste onderwerp, en dat luidt: veren op een *spandex*kont.' Ze hield een met rode lovertjes bezette *catsuit* omhoog en zwaaide de hanger naar de andere kant, zodat de toef rode pluimen, precies op de kont, goed te zien was. 'Mooi, of beter van niet?'

'Eh... is dat een staart?' vroeg ik, half verbijsterd, half geïntrigeerd.

'Die hebben we ook in het paars,' zei de winkeleigenaresse met woest rood haar vanachter de kassa, terwijl ze haar keel schraapte. 'Mochten jullie daarin geïnteresseerd zijn.'

'Alleen een bepaald type vrouw kan paars hebben.' Kate grijnsde naar me. 'Nat bijvoorbeeld.' Toen drukte ze de rode catsuit tegen haar borst en schonk me een duivelse knipoog. 'Ik denk dat ik deze maar meeneem voor een proefritje.'

Toen ze de kleedkamer in dook, moest ik lachen en schudde mijn hoofd. Als de dochter van de rijkste strafpleiter in Charleston had Kate een bepaald aspect voor op veel andere meisjes van Palmetto – de meisjes die net 'genoeg' geld hadden.

Kates moeder was zonder meer krankzinnig (als de muren van de countryclub eens konden praten), maar vanwege de onaantastbare bankrekening van haar echtgenoot noemde iedereen haar 'excentriek' in plaats van 'gek'. Alsof bepaalde woorden nu eenmaal niet golden voor miljardairs. Vandaar dat Kate, in tegenstelling tot de meeste meisjes, ermee wegkwam om een tongpiercing te nemen en elk jaar een nieuwe tattoo aan haar arsenaal toe te voegen... en om met lovertjes en veren versierd spandex te dragen – en dat allemaal zonder ook maar ooit het risico te lopen om voor slet uitgemaakt te worden. Misschien was dat wel de reden waarom ik haar zo leuk vond: ze leefde als iemand die geen angst kende.

Aangezien ik vanaf het andere uiteinde van het geldspectrum opgeklommen was, ging ik met mijn hand langs een rij leren bustiers en voelde ik een hernieuwde trots over het feit dat mijn eigen kostuum het tegenovergestelde was van alles wat er in deze winkel hing. Ik gaf me net over aan een fantasie over hoe

Mike en ik helemaal verkleed op de gala-avond over de rode loper zouden schrijden toen er iemand de hoek om kwam en me de ordinaire paarse catsuit toestak. 'Ik dacht dat je deze misschien wel zou willen proberen,' zei Justin Balmer poeslief.

Ik werd overweldigd door de houtachtige tonen van zijn aftershave. En ik dacht nog wel dat niets erger kon stinken dan de aromatherapiekaars met sensuele jasmijngeur die in Vrolijke Vintage naast de kassa stond te branden. Eau de J.B. was op zich geen nare geur; misschien kwam het doordat hij zo dicht bij me stond dat mijn maag ervan omhoogkwam.

Ik probeerde niet naar de catsuit te kijken – of naar hoe zijn blonde haar voor zijn ogen viel – maar concentreerde me op zijn sweatshirt. Het was hetzelfde Palmetto-footballshirt dat Mike mij voor de wedstrijd had geleend.

'Wat vind je ervan?' vroeg J.B., terwijl hij aan de veren op de achterkant van de catsuit voelde. Er verspreidde zich een verrassend huiverig gevoel door mijn borst.

'Maar jij hebt het eerder gezien dan ik,' zei ik doodkalm. 'Ik zou jou nooit het perfecte Mardi Gras-kostuum willen afpakken.'

'Wie heeft er iets over een kostuum gezegd?' vroeg hij. 'Volgens mij accentueer je hiermee een paar van je sterkste punten.'

'Bedoel je mijn steeds groter wordende vermoeidheid ten aanzien van jouw avances?' zei ik, terwijl ik in het benauwde lingeriegangpad langs hem heen schoof.

J.B. legde zijn handen op mijn schouders, zoals een masseur, en ademde in mijn nek. 'Wat heeft de prinses voor vanavond voor kostuum op het oog?' fluisterde hij.

Ik draaide me als gestoken om. 'Dat weet alleen de prins, en daar mag jij lekker je hoofd over breken.'

Een gefrustreerde kreun van Kate uit de kleedkamer zorgde ervoor dat we allebei achteruit sprongen. Ik was helemaal vergeten dat zij daar nog steeds die catsuit stond te passen.

'Hoe gaat-ie?' riep ik naar het gordijn, terwijl ik bad dat ze J.B. niet gehoord had.

'Die kontveren kunnen we wel vergeten,' riep ze, en ze klonk argeloos. 'Hangt daar verder nog iets wat de moeite waard is om me voor Baxter in te hijsen?'

J.B. trok een wenkbrauw naar me op. Met het zwierige gebaar van een tovenaar trok hij het eerste wat hij binnen zijn bereik had uit het rek en hield het ter goedkeuring naar mij omhoog. Het was een opzichtig knalroze satijnen korset. Als Kate de aandacht van Baxter wilde trekken, moest het hiermee lukken.

J.B. gooide het hangertje over de deur van de kleedkamer en ik voegde er zonder er verder bij na te denken aan toe: 'Waarom probeer je deze niet eens?'

J.B. stak zijn vuist naar me omhoog, als erkenning voor ons teamwork. Alsof wij elkaar ooit ergens een *vuistbump* voor zouden geven. Ik wees hem af, maar bleef wel als aan de grond genageld staan.

Na een korte stilte liet J.B. zijn vuist zakken en zuchtte. Er woei een plukje blond haar van zijn voorhoofd omhoog. De groene kleur van de letters op zijn sweatshirt paste prachtig bij zijn ogen, waardoor ze nog meer opvielen dan anders en me bijna leken uit te dagen. Ik voelde me verscheurd tussen de wens om me van zijn blik los te maken en niet de eerste te willen zijn die wegkeek.

'Kijk niet zo naar me,' fluisterde ik op een gegeven moment maar, en ik vond het vreselijk dat mijn stem zo kleintjes klonk, dat ik zo kortademig was.

'Het is maar een glimlach, hoor Nat,' zei hij.

Heel even klonk Justin Balmer bijna defensief. Maar toen likte hij langs zijn lippen en ontblootte zijn tanden naar me. De rillingen liepen me over de rug.

'Weet je,' zei hij op spottende toon, waarmee hij weer helemaal het beest was dat ik kende, 'ik vind die koppigheid van jou om per se die wedstrijd te winnen wel eh... amusant.' Hij boog zich naar voren en liet de paarse catsuit in mijn armen vallen. 'En als ik geamuseerd ben,' ging hij verder, terwijl hij langs me heen liep, 'heb ik zin om te spelen.'

Ik tuurde met halfdichtgeknepen ogen naar J.B., die in de deuropening stond en langs zijn kin streek.

'Mij best.' Ik moest onwillekeurig grijnzen. 'Dan is het spel begonnen.'

'Tegen wie sta je te praten?' riep Kate vanuit de kleedkamer, net op het moment dat J.B. naar buiten liep.

'Tegen niemand,' zei ik snel, en ik draaide me net op tijd om om te zien dat Kate het gordijn openschoof. Ze kwam wiebelend de kleedkamer uit met uitsluitend het roze zijden gevalletje aan, dat haar als een handschoen omsloot.

'Maak je borst maar nat vanavond,' zong ze, terwijl ze dicht naar me toe danste.

Ik zag nog net een laatste glimp van Justin, die naar het plankier toe liep. Ik sloeg mijn armen over elkaar en zei: 'Mijn borst is al nat.'

5 MOOI LEVENTJE

'Welkom in Bourbon Street,' zei Rex Freeman toen hij zaterdagavond de deur van het landhuis van zijn ouders opendeed. Hij was topless, met een narrenmuts op zijn gemillimeterde rode haar. Hij had een afgeknipte spijkerbroek en teenslippers aan. Hij had zo veel kralensnoeren om zijn hals dat je zijn gebruinde, met sproeten overdekte bovenlichaam niet zag – wat misschien jammer was geweest, maar ik wist dat Rex in zijn pogingen om het bovenlichaam van elk aanwezig sletje te zien, voor de avond ten einde was bijna al die kettingen zou hebben weggegeven.

Hij keek met een grijns naar de zee van Bambi's die Mike en mij bij de ingang van het feest van elkaar scheidde. 'De dames mogen hun jas ophangen in de kast, en dan hang ik deze kettingen even bij...'

'Neem me niet kwalijk,' zei ik, en ik trok Mike aan zijn hand mee langs de kwetterende menigte meisjes. 'Maar voor het er hier in de hal al te heet aan toe gaat, wurmen wij ons even naar binnen als je het niet erg vindt.'

Mike schudde zijn hoofd en grijnsde naar me.

'Sorry, man,' zei hij, en hij gaf Rex terwijl hij naar binnen liep een vuistbump. 'Je weet dat Nat niet goed tegen die Bambi's kan.'

'*Pas de problème*,' zei Rex, en hij haalde zijn schouders op. 'Des te meer zijn er voor mij.'

Ik pakte een snoer uitzonderlijk opzichtige kralen vast die Rex om zijn nek had. Het waren holle metallic plastic kralen in de vorm van pauwenveren.

'Mooi,' zei ik. 'En o, ze lichten op. Mag ik...?'

Rex grijnsde naar Mike, en de sproeten op zijn wang trokken naar elkaar toe. 'De meeste meisje doen er alles voor om zulke speciale kralen te verdienen, weet je. Dus óf ik ben al bezopen óf jij hebt een heel machtige vriendin.'

'Niet dat het een het ander uitsluit,' zei Mike geestig.

Rex gebaarde dat we allebei wat dichter naar hem toe moesten buigen en knikte toen naar een spandoek boven hem, waarop stond: LIK 'R VAN VOREN, POOK 'R VAN ACHTEREN.

'Daar bedoel ik niks mee,' zei hij. 'Hoewel achterin wordt gepokerd en boven in de bibliotheek van mijn vader de sterke drank staat.' Hij trok een ernstig gezicht. 'Alleen voor intimi.'

'Discretie is onze tweede naam,' zei ik. 'Bedankt, Rex.'

Terwijl Mike en ik naar de intimi-voorraad bibliotheekdrank liepen, hoorden we dat Rex zijn aandacht weer op de schaars geklede pubers in de hal richtte.

'Oké, schoonheden, voor ik jullie toelaat tot het feest,' zei hij, 'heb ik nog één klein bewijs nodig van jullie niet-aflatende *Rexfectie*...'

Mike schudde lachend zijn hoofd, maar toen ik een glimp van ons samen opving, terwijl we de rondlopende trap op liepen, bleef ik stokstijf staan.

'Wat is er?' vroeg Mike.

Ik wees op ons spiegelbeeld in de reusachtige, vergulde spiegel die de hele muur besloeg. We waren zo halsoverkop bij mij thuis naar het feest vertrokken – om toch vooral de wiebelige hand van mijn moeder met daarin de camera te ontlopen – dat dit de eerste keer was dat ik onze uitmonstering van top tot teen kon bekijken.

Mijn smaakvol met lovertjes bezette, zachtroze charlestonjurk werd bekroond met lange, witte handschoenen en zilverkleurige, hooggehakte sandaaltjes. Mijn moeder was een uur lang bezig geweest om pijpenkrullen in mijn donkere haar te maken, die tot een centimeter of vijf onder mijn schouders vielen. Elk hier aanwezig meisje had waarschijnlijk een met veel te veel haarlak bespoten opgestoken kapsel, maar Mike hield er nu eenmaal van als hij met zijn vingers door mijn lange haar kon gaan. Bovendien voelde ik me eleganter met mijn haar los. De dikke bruine golven omlijstten mijn minimaal opgemaakte gezicht en het enige opzichtige wat ik me voor het feest had gegund: nepwimpers. Ik knipperde er zedig mee naar Mike, met zijn hoge zwarte hoed op, zijn smoking en zijn overhemd met ruches, en hij gaf me via de spiegel een sexy knipoog.

Zo hand in hand leken we wel een koningspaar. Een droompaar.

Ik had nog steeds niet bedacht hoe ik op het verontrustende sms'je van mijn vader van de avond ervoor moest reageren – of hoe ik dat kon omzeilen – maar deze glimp van Mike en mij op de trap was het eerste waardoor ik me iets beter begon te voelen over de zwarte wolk vol problemen die mij nu boven het hoofd hing.

Moet je me zien. Moet je ons zien. Ik was van té ver gekomen om me weer de put in te laten helpen.

'Goed idee van mij, hè, om dit jaar op de stijlvolle toer te gaan?' zei Mike plagerig.

Hij pakte het iriserende masker met veren uit mijn hand, liet het op het stokje ronddraaien en hield het toen voor mijn gezicht.

'Ja, je bent echt een genie.' Ik gniffelde, liep de trap verder op en duwde de gewelfde houten deur naar de bibliotheek open.

Het van hoogpolig tapijt voorziene vertrek erachter was typisch zo'n bibliotheek voor rijke mensen, helemaal op maat gemaakt. Boekenkasten van de vloer tot aan het plafond, waarin alle grote klassiekers van de westerse canon met hun in goud versierde titels op dikke, verschoten ruggen stonden te pronken. In het midden stonden, tegenover elkaar, twee kastanjebruine leren psychiaterbanken, en een verrijdbaar trapje, die het geheel nog wat extra cachet gaven. Je kreeg het gevoel dat de boeken zelf meer een soort achtergrond vormden voor het belangrijkste in de bibliotheek, en dat was natuurlijk de kristallen drankkast bij het raam.

Mike en ik waren aangenaam verrast dat we hier alleen waren. Misschien was Rex toch kritischer geweest dan ik wilde toegeven wat betreft degenen die tot de intimi behoorden. Mike ontkurkte een fles champagne en ik liep het balkon op om een frisse neus te halen.

'Waar zullen we nu weer eens op drinken?' vroeg hij, terwijl hij met twee volle glazen achter me kwam staan.

Ik keek omlaag naar de tuin onder ons, waar het feest in volle gang was. Rex had dezelfde met kralen versierde partytent neergezet als elk jaar. En rond het zwembad dromden dezelfde dronken silhouetten samen. Dat vertrouwde beeld had iets geruststellends kunnen hebben, maar ik vond het die avond eigenlijk alleen maar saai.

Ik keek naar Mike en hief mijn glas. 'We drinken op dat we de boel eens flink gaan opschudden.'

'Dat heb ik nou altijd al gewild: samen met jou op een balkon de boel eens flink opschudden,' fluisterde hij. We sloegen onze flûtes met eersteklas champagne achterover en Mike nam me in zijn armen. Hij liet me heel diep zakken en ging met zijn hand onder mijn jurk. Ik hield mijn hoofd achterover en kreunde. Het was fris en koel hier buiten op het balkon, maar de hitte die van Mike afsloeg bezorgde me een licht gevoel in mijn hoofd – of misschien was dat aan de champagne te danken. Zijn handen voelden heel warm, stevig, vertrouwd en...

'Lichten, camera en... actie,' onderbrak een stem met een zwaar zuidelijk accent ons. We keken recht in de helwitte lamp van een videocamera.

'Kun je niet even kloppen?' vroeg ik, terwijl ik mijn jurk met een ruk omlaag deed.

Baxter Quinn, geheel in het zwart, torende boven ons uit met een camera op zijn schouder. Mijn ergernis over het feit dat we gestoord werden, nam toe, toen ik tot mijn ongenoegen zag dat Baxter opvallend Kate-loos was. Zijn lichte haar contrasteerde sterk met de griezelige wallen onder zijn ogen. Hij zag eruit als een junkie, en ik zag wel waarom Kate op hem viel, hoewel hij in de verste verte mijn type niet was. Hij zag eruit als een vampier met die lange jas die in de wind een beetje opwoei.

'Als ik eerst aanklop, krijg ik toch nooit het ware werk op beeld?' zei hij spottend. 'Trouwens, de laatste keer dat ik hier was, was deze bibliotheek open voor iedereen die van Rex het groene licht had gekregen.'

Ik trok mijn wenkbrauwen op en sloeg mijn armen over elkaar.

'De rijken,' zei Baxter, en hij wees naar Mike. 'De gekroonde hoofden,' ging hij verder, terwijl hij zich naar mij omdraaide. Tot slot wees hij op zichzelf. 'En de hulptroepen.' Hij maakte zijn zwarte trenchcoat open, zodat er een hele apotheek aan poeders en pillen te zien was.

Mike gaf een knikje in de richting van Baxters trenchcoat. 'Ben je zo stoned dat je vergeten bent dat het een verkleedfeest is?' vroeg hij.

Baxter wilde Mike een speelse stoot tegen zijn schouder geven, maar in plaats daarvan viel hij tegen de salontafel aan en kwam hij met armen en benen wijd op de bank terecht. Ieder ander zou ik overeind geholpen hebben, maar aangezien het een kwestie van minuten was voordat Baxter opnieuw zou struikelen, besloot ik mijn energie te sparen.

'Herken je mijn kostuum niet?' vroeg hij met dubbele tong aan Mike, terwijl hij eens lekker op de bank onderuitzakte en zijn benen op de salontafel over elkaar sloeg. 'Elke gast weet dat *Losgeslagen meisjes* het leukste onderdeel van Mardi Gras is. Aangezien ik voor de lol een beetje film, heb ik die taak op me genomen. Alle toptieten zijn vanavond van de partij.'

Ik rolde met mijn ogen en was plotseling blij dat Kate er niet was. 'Ik kan me niet voorstellen dat Rex zo'n doorgedraaid, dronken zwijn het groene bibliotheekdranklicht geeft.'

'Toe maar, Nat,' zei Baxter, terwijl hij zich naar me toe boog en vanaf de bank met een vinger langs mijn dij omhoog probeerde te gaan. Ik sloeg hem van me af. 'Kom, laat dat kruisshot nog eens zien,' zei hij. 'Meestal gaat het er hier voor twaalven niet zo hitsig aan toe.' Hij frummelde wat met de camera om wat beelden terug te spoelen. 'Het spannendste wat ik beneden tot nu toe geschoten heb is dat Justin Balmer over zijn boa struikelde.'

'Wat?' Ik spitste mijn oren. 'Laat eens zien. Wat is J.B. aan het doen?'

'Zich belachelijk aan het maken, als je het mij vraagt,' zei Baxter, terwijl hij zijn beeldmateriaal terugspoelde om aan ons te laten zien. 'Iemand moet die gast een halt toe roepen. Nog één drankje en dan heeft hij de entreeprijs eruit.'

'Jij zegt het,' mompelde ik, terwijl Mike en ik ons vooroverbogen om over Baxters schouder mee te kijken. De camerabeelden waren zo wiebelig dat je niet veel zag, maar J.B. zette zichzelf in elk geval vreselijk voor schut. Hij stond aan het zwembad en liet een met sokken opgevulde kanten beha zien die hij van een of andere Bambi geleend moest hebben. Hij had rode lippenstift op en een kort leren rokje en een netpanty aan – zo'n beetje het tegenovergestelde van stijlvol.

Ik kneep mijn ogen tot spleetjes.

'Laten we naar beneden gaan,' zei ik.

Mike knikte; hij was blij dat hij bij Baxter weg kon. Hij deed nog een laatste greep naar de lekkere champagne.

'Koninklijk drankje voor onderweg,' zei hij, terwijl hij me een bijgeschonken glas aanreikte. 'Wie weet wat het plebs daar beneden staat te drinken?'

'Willen jullie echt niet nog één seksscène voor de camera doen?' riep Baxter ons na. 'Ik kan een hit van jullie maken op internet.'

'Dag Baxter,' zei ik, en ik liet hem onderuitgezakt op de gecapitonneerde leren bank achter. 'Bedankt voor de preview.'

Op de trap bleven Mike en ik weer even staan voor nog een pose voor de vergulde spiegel. Hoe kwam het toch dat me, elke keer dat ik zag dat ik er zo mooi uitzag, het ellendige sms'je van mijn vader weer te binnen schoot?

Ik wilde verder de trap af lopen, maar Mike trok aan mijn hand.

'Niet te ver bij me uit de buurt gaan als we beneden zijn,' zei hij. 'Ik kan niet hebben dat een of andere gemaskerde man zich op je stort.'

'Beloofd,' fluisterde ik terug, met nog één blik in zijn donkere ogen.

In de keuken kwamen we langs het rivierkreeftbuffet, met daarboven een bord met de tekst BIJT IN DE STAART EN ZUIG AAN DE KOP. We bleven even staan achter de drom jongens die zich voor de koelkast had gevormd. Ze hadden alle-

maal een biertje in hun ene hand en een kralensnoer in hun andere. Ze probeerden een bijzonder dronken tromgeroffel op hun bovenbenen te laten horen.
'Wat heeft dit te betekenen?' vroeg Mike.
'Vraagt en gij zult ontvangen,' antwoordde een van de jongens, en hij gooide Mike een kralensnoer toe.
Al snel stelde een rij meisjes zich voor de jongens op. Ze hielden hun handen langs de zoom van hun shirt.
Een van de jongens gaf het teken: 'En... *flash wave!*'
De meisjes begonnen allemaal te joelen en een voor een tilden ze hun hemdje omhoog, alsof de hele rij besmet raakte. Toen alle kanten beha's getoond waren, werd iedereen beloond met een uitwisseling van kralen en speeksel.
'Nog een keer!' riepen de jongens.
'Doorlopen,' zei ik tegen Mike, en ik trok hem mee naar buiten, naar de partytent.
Buiten ging het feest er gelukkig een tikje stijlvoller aan toe. Op een draaiend podium in het midden van de dansvloer speelde een band oude New Orleans-bluesnummers. De meeste jongens van goeden huize gingen rondom de band helemaal uit hun dak, terwijl ze maskers met reusachtige veren voor hun gezicht hielden.
Vanaf de bar zwaaide Kate naar me, in haar knalroze negligé. Ze had haar haar opgestoken in een hoge gevlochten knot, en zo te zien was ze het enige meisje op het feest dat niet de moeite had genomen om haar gezicht met een masker te bedekken. Toen ze naar ons toe gehold kwam, klakten haar met veren versierde hoge hakken op het parket.
'Wat zien jullie er koninklijk uit!' zei ze, terwijl ze Mike van top tot teen bekeek en mij een plechtig knikje van bewondering gaf.
'We zijn boven Baxter tegengekomen,' zei ik, en ik zag haar gezichtje oplichten, terwijl ze het negligé wat verder over haar heupen omlaag trok. Ik boog me naar haar toe en legde mijn hand als een kommetje tegen haar oor. 'Hij ziet eruit alsof hij wel wat mond-op-mondbeademing kan gebruiken.'
'Ik weet genoeg,' snorde ze, en toen beende ze langs ons heen naar het huis toe. Ik begreep niet goed waarom ze eigenlijk een oogje op Baxter had, maar je kon niet ontkennen dat ik barmhartig was tegenover de behoeftigen. Ik zou hun geen strobreed in de weg leggen. Trouwens, ik had wel wat belangrijkers aan mijn hoofd. J.B. zoeken bijvoorbeeld.

Ik tuurde de rest van de aanwezigen af en zag ver weg in een hoek een paar meisjes uit de hogere klassen. Met hun reusachtige veelkleurige boa's brachten ze elkaar een serenade. Het was één grote wolk van veren die boven een scala aan strakke zwarte jurkjes vloog.

'Heb je zin om met de meisjes te gaan dansen?' vroeg Mike.

Ik keek om me heen om te zien wat er verder allemaal gaande was. Ik was dol op dansen, en het had iets heel spannends dat iedereen achter zijn of haar masker incognito was. Maar ik wilde ook *cognito* zijn als Mike J.B. tegen het lijf liep.

Een ongevraagde hand op mijn kont vertelde me dat ik niet langer hoefde te wachten. Ik draaide me vliegensvlug om en liet mijn masker zakken.

'O, neem me niet kwalijk,' zei J.B. poeslief. 'Ik dacht dat je iemand anders was. Een meisje dat ik nog ken van vroeger. Mijn fout.'

Ik bracht mijn hand omhoog om hem een klap in zijn gezicht te geven, maar Mike stond vlak achter me.

'Handen thuis,' mompelde ik tegen J.B.

'Kom op, popje. Je weet toch wel dat er op Mardi Gras vrijelijk op al het vlees gejaagd mag worden?'

'Noem me niet zo,' fluisterde ik woest. Mijn maag kneep samen bij het horen van die koosnaam. 'En even voor de goede orde: mijn vlees is voor jou verboden terrein.'

'Hé,' mengde Mike zich in het gesprek. 'Balmer, wat ben jij een oerlelijk wijf, zeg.'

'En jij hebt je niet aan de kledingvoorschriften gehouden,' zei J.B. met een blik op Mikes smoking. Aan zijn ongemakkelijke houding te zien was het misschien eindelijk tot hem doorgedrongen dat hij er bespottelijk uitzag. 'Ik dacht dat je me helemaal te gek vond.'

'De plannen zijn gewijzigd,' zei ik schouderophalend, en ik dacht weer aan wat Baxter boven had gezegd, namelijk dat J.B. erom vroeg om belachelijk gemaakt te worden. 'Jij kunt zo te zien nog wel een drankje gebruiken. Misschien vergeet je dan dat die netpanty je voor geen meter staat.' Ik draaide me om en zag dat zich naast het zwembad een grote groep mensen had verzameld. 'Kijk,' zei ik onschuldig. 'Ze drinken op hun kop uit een vaatje bier. Leuk!'

'Wil jij daaraan meedoen?' vroeg Mike.

'Ik niet,' zei ik, 'maar J.B. wel.'

J.B. nam me van top tot teen op. Zijn ogen stonden glazig en dronken. Ik begreep niet waarom ik me plotseling nog naakter voelde dan daarstraks toen Mike mijn jurk tot aan mijn middel omhoog had gesjord.

'Nou, dat klinkt als een uitdaging,' zei hij.

Binnen een paar minuten hadden Mike, Rex en een paar van hun footballmaten J.B. in de lucht getild. Zijn benen wezen naar buiten en zijn mond hing boven het vaatje, klaar om te gaan drinken. Ik hoefde geen vinger uit te steken, er dromden meteen al allemaal mensen omheen.

'Drinken! Drinken! Drinken! Drinken!' brulde de hele groep als één man.

J.B. was indrukwekkend lang aan het vaatje aan het zuigen, en ik schoof naar voren om te zien hoe hij met zijn opgezette gezicht zou gaan kotsen. Toen hij eindelijk het teken gaf dat hij wilde ophouden, tilden zijn vrienden hem weer omhoog en zetten hem overeind. Er steeg een gejuich onder de aanwezigen op voor de groen aangelopen overwinnaar. Ik stond tussen de meisjes uit de bovenbouw en wachtte tot hij iets hitsigs zou doen, zo erg dat de toeschouwers ervan zouden schrikken. Iedereen wist dat Justin Balmer geen doetje was als hij dronken was.

'Opzij,' brulde J.B., en hij wankelde naar de struiken toe. 'Ik moet kotsen.'

'Ranzig,' zei mijn vriendin Amy Jane Johnson, terwijl ze de andere meisjes een slok uit de oude heupflacon van haar oma aanbood. 'Ik vind dat gedoe met zo'n vaatje zo burgerlijk. Waarom doet J.B. dat in godsnaam?'

'Dat zei je anders niet toen je vorige zomer met Dave Smith hebt liggen vozen, vlak nadat hij op zijn kop uit een vaatje had gedronken,' plaagde Jenny Inman haar, terwijl ze aan haar korte zwarte rokje trok – zo kort, helemaal niks voor haar.

'Dat was anders,' zei Amy Jane, terwijl ze zich met haar masker koelte toewuifde. 'Dave Smith heeft op Wimbledon gespeeld. Hij krijgt carte blanche.'

'Nog een keer!' brulde iemand tegen J.B. Ik keek op en zag de silhouetten van Baxter en Kate dicht tegen elkaar aan op het balkon van de bibliotheek staan. 'Kotsen en doorzuipen!' riep Baxter.

Verbazingwekkend genoeg gaf J.B. aan deze oproep gehoor. Mijn vriendinnen en ik mochten dan doen alsof we het allemaal even weerzinwekkend vonden, toen het hele gedoe opnieuw begon, juichten we net zo enthousiast als de rest.

Toen de jongens J.B. enigszins wankel weer op de grond hadden gezet, liep Rex naar de microfoon en tikte met een vork tegen zijn kristallen glas.

'Oké, feestgangers,' riep hij. 'Als ceremoniemeester vaardig ik een naaktzwemgebod uit. In het zwembad. Zo snel mogelijk. Jullie hebben vijf minuten

49

de tijd om die gruwelijke kostuums uit te trekken.' Hij gebaarde naar het gescheurde topje van goudlamé van een jongen uit de eerste. 'Zoek een droog plekje voor je veren en dan met die beeldschone lichamen húp het water in.' Om zijn woorden kracht bij te zetten greep hij een Bambi bij haar kont. 'Bevel van Rex – en anders maken dat je wegkomt.'

Iedereen dromde naar het zwembad, en de stemming van het feest sloeg in één keer om. Leerlingen uit de hogere klassen namen ligstoelen in beslag om hun kleren op te leggen en de Bambi's, voor wie de feestregels van Rex nieuw waren, bakkeleiden over of het wel donker genoeg was om met een gerust hart je kleren te kunnen uittrekken.

Ik voelde dat Mike mijn hand vastpakte. 'Kom mee,' fluisterde hij.

'Vergeet het maar, ik ga niet naakt zwemmen,' zei ik snel.

'Ja, ik ben me bewust van je vreemde, onverklaarbare afkeer van naakt zwemmen,' zei hij, en hij trok me mee naar de struiken. 'Maar dat was ook niet wat ik in gedachten had.'

Ik pakte Mikes hand en glimlachte naar hem. Hij had precies het juiste moment uitgekozen voor een onderonsje in de tuin opzij van het huis.

Maar toen we daar aankwamen, zag ik tot mijn verbazing J.B. voorovergebogen tegen een heester staan. Een scherm van Spaans mos hing als een gordijn omlaag en scheidde ons daarmee af van de rest van het feest.

'Die tweede keer op dat vaatje heeft hem de das omgedaan,' zei Mike. Hij keek bezorgd.

'Oké, hij is een beetje ver gegaan. Zo erg is dat toch ook weer niet?' zei ik. 'Hij is een grote jongen, hoor, hij kan wel tegen een beetje...'

'Alcoholvergiftiging?' maakte Mike mijn zin voor me af.

Ik zuchtte. Het gezelschap bij het zwembad was inmiddels zo luidruchtig geworden dat ik mezelf amper kon horen nadenken. Als iedereen nu al naakt aan het zwemmen was, verliep deze avond precies zoals verwacht. Als we hier bleven konden we dat 'de boel eens flink opschudden' wel vergeten.

Ik ging op mijn hurken voor J.B. zitten. Hij was ver heen.

'Hij heeft waarschijnlijk gewoon wat frisse lucht nodig,' zei ik op een gegeven moment maar. 'Laten we een stukje gaan rijden, met z'n drietjes. Misschien kunnen we hem weer bij zijn positieven brengen.'

6 ZWOEGEN EN ZWETEN

'Jezus, hij is echt loodzwaar,' klaagde ik een paar minuten later tegen Mike toen we het slappe lichaam van J.B. de oprit op sleepten. 'Waarom hebben we die auto zo ver weg neergezet?'

'Ik geloof niet dat we deze situatie voorzien hadden,' zei Mike. Hij keek er onbekommerd bij, alsof zijn kant van de vracht net zo zwaar was als een veren boa. Hij hield J.B. onder de oksels vast en ik had hem bij zijn benen. Ik wankelde onder het gewicht, maar dat nam niet weg dat ik uitstekend zicht had op hoe groen onze patiënt er rond zijn kieuwen uitzag.

Mike klikte het slot van zijn Tahoe open. Het was maar goed dat we die avond met zijn auto waren gekomen en niet met de piepkleine, enigszins tweedehandse Miada waar de nieuwe vrijer van mijn moeder haar net mee had omgekocht.

'Kom, we tillen hem erin,' zei Mike.

We legden Justin op de achterbank, en Mike draaide de raampjes omlaag om wat frisse lucht binnen te laten.

'Ik geloof dat ik in mijn sporttas nog een flesje water heb liggen,' zei hij, terwijl hij om de auto heen naar de achterbak liep om in zijn spullen te zoeken.

Ik was een minuut lang min of meer alleen met J.B., en keek omlaag naar zijn gezicht. Hij zou zich de volgende ochtend hondsberoerd voelen, maar voorlopig zag hij er heel vredig uit. Zelfs met al die make-up op kon je zijn lichte huid zien en de sproeten die hem die verraderlijke jongensachtige charme gaven.

Van zijn rode lippenstift was niet meer over dan een koperachtige vlek die er bij zijn mondhoeken uit kroop, zijn wimpers zaten tegen elkaar aangekoekt doordat de mascara heel slecht was opgebracht, en zo'n beetje overal zat glitter. Voor ik besefte wat ik deed ging ik met mijn hand over zijn voorhoofd om een lijmachtige dot glitters uit zijn wenkbrauw weg te vegen. Ik streek een pluk blond haar uit zijn ogen.

Die gingen open.

'Nat,' fluisterde hij, 'ben jij het?'

'Hebbes!' riep Mike vanuit de kofferbak. Hij liep om de auto heen en gaf me een oude drinkfles met een witte sticker met het wapen van Palmetto High School erop. 'Hier,' zei Mike tegen J.B. 'Drink op.'

'Ik kan niks meer drinken,' kreunde J.B. 'Anders moet ik kotsen.'

'Dat zal dan niet voor het eerst zijn vanavond,' zei ik erachteraan, in de hoop dat ik het vreemde moment tussen J.B. en mij van daarnet een beetje kon afzwakken.

'Waar zijn we?' vroeg J.B. Hij zag er vreselijk hulpeloos uit.

'We halen je weg van dat feest,' zei Mike.

J.B. knikte, nam een slordige slok water en ging op de achterbank weer onder zeil.

Mike grinnikte en deed het portier achter hem dicht. Toen duwde hij mij ertegenaan, aaide me over mijn haar en drukte zijn lichaam tegen het mijne. Ik voelde hoe de vertrouwde warmte door me heen trok, maar ik dacht aan hoe dit er door het raam moest uitzien, mocht J.B. op dit moment bijkomen: mijn donkere haar over het raam uitgewaaierd, mijn armen boven mijn hoofd, Mikes brede schouders tegen de mijne.

Mike kuste me en keek me toen aan.

'Waar gaan we naartoe?' vroeg hij.

'Rijd nou maar gewoon.'

Mike startte de auto, en al snel reden we de lange, rondlopende oprit van Rex af, langs wat een eindeloze rij leek met de sportauto's en opgekalefaterde suv's van onze klasgenoten.

'Vind je het niet vreemd dat dít ons laatste Mardi Gras-feest was?' vroeg ik, terwijl ik dacht aan wat er nog steeds bij het zwembad gaande was. Meestal smeerde ik 'm pas van een sociaal samenzijn als... Nou ja, als ik zeker wist dat er zich geen drama's meer zouden voordoen waar de volgende week op school over geroddeld zou worden.

'Hoe bedoel je, ons laatste Mardi Gras-feest?' vroeg Mike. 'En volgend jaar dan? En het jaar daarna? Ik heb gehoord dat sommige mensen zelfs élk jaar Mardi Gras vieren.'

'Je weet best wat ik bedoel,' zei ik, terwijl ik een schilfertje van mijn lichtroze nagellak afkrabde. Een zenuwachtige gewoonte. Verzorgde nagels hielden het bij mij nooit langer dan een dag uit. 'Dit is onze laatste Mardi Gras op Palmetto High. Onze laatste Mardi Gras bij Rex Freeman. Wie weet waar iedereen volgend jaar uithangt? Dan kan alles er wel totaal anders uitzien.' Ik ging met mijn nagels langs Mikes nek. 'Heb jij nooit het gevoel dat dit hele jaar één lange laatste keer is?'

Mike kneep in mijn bovenbeen. 'Als Rex je zo zou horen, gaf hij morgen nog een Mardi Gras-feest. Ik beloof je dat het laatste jaar op Palmetto niet het einde van de wereld betekent.' Hij keek in de achteruitkijkspiegel. 'Waar of niet, Balmer? Hoe gaat-ie daar achterin, Balmer?'

'Misselijk,' kreunde J.B. 'Heel erg misselijk.'

'Niet op de achterbank kotsen, Balmer,' zei ik, en ik draaide me om om te dreigen. 'Hier,' zei ik tegen Mike, 'ga daar even staan.'

'Bij de kerk?' vroeg Mike met een zenuwachtige blik. De arme jongen, hij vond het al erg genoeg dat hij daar één keer per week naartoe moest.

'Waarom niet?' vroeg ik schouderophalend. 'De dominee houdt echt niet om één uur 's nachts een alcoholcontrole, hoor.'

'Ik ga vandaag niet naar de kerk, mam,' kreunde Justin vanaf de achterbank. Hij was helemaal de weg kwijt.

'Heb ik nou goed verstaan wat hij net zei?' vroeg Mike.

Ik begon te lachen. Ik probeerde me voor te stellen wat voor toon J.B.'s moeder tegen hem zou aanslaan als ze hem betrapte op iets wat tegen haar opmerkelijk milde regels was. Het grootste deel van de week was mevrouw Balmer waarschijnlijk te druk bezig met tellen hoeveel geld er in haar spaarvarken zat voor haar borstvergroting om nog aandacht te hebben voor wat haar kinderen uitspookten, maar op zondag sleepte ze haar zonen altijd mee naar de kerk. Er was niets gênanter dan in de kerkbanken gezien worden zonder al die pronkstukken die je ter wereld had gebracht.

'Nou, Justin-liefje,' zei ik, terwijl ik het vette accent van zijn moeder nadeed, 'volgens mij heb jij wat zonden op te biechten. En waar kun je dat nou beter doen dan in het huis van God?'

'Nat,' zei Mike op waarschuwende toon.

'Ik maak maar een grapje,' antwoordde ik lachend. 'Heus, morgen herinnert hij zich hier niets meer van.'

Mike parkeerde de auto vlak bij de kapel en zette de motor uit. We stapten uit en deden het achterportier open.

'Hup!' zei Mike, en we tilden J.B. weer op en droegen hem over het grasveld.

'Laten we hem neerzetten waar met kerst altijd de kerststal staat,' zei ik. 'Dan is hij net het kindje Jezus.'

'Nee,' jammerde J.B., die nog steeds klonk alsof hij behoorlijk in de war was. 'Mama, ik kan zo niet naar de kerk. Ik lijk oma wel, met een kater.'

Mike moest inmiddels zo hard lachen dat hij zijn kant van de vracht bijna niet hield, maar ik hield de in netpanty's gestoken enkels van J.B. stevig vast en kreeg een genialer dan geniaal idee.

Hij was half in coma en nog steeds helemaal geobsedeerd door de gedachte dat zijn hoerige kostuum zijn reputatie in gevaar bracht.

En wiens schuld was dat?

Ik keek naar de lippenstift, naar de veren boa en naar de ene leren schoen met hoge hak die hij nog aanhad. En plotseling zag ik alles in een heel nieuw licht. In zonlicht. De zon kwam op zondagochtend in de Bible Belt namelijk behoorlijk vroeg op. En iedereen die iets voorstelde ging naar de kerk, inclusief bepaalde stemmentellers van de Palmetto-verkiezing. Tracy had inderdaad gezegd dat sommigen van hen al hun vraagtekens hadden gezet bij J.B.'s kandidatuur voor de prinsentitel. En Baxter had gezegd dat J.B., doordat hij in travestie op het feest was verschenen, erom vroeg om belachelijk gemaakt te worden.

'Mike,' zei ik langzaam en zacht, 'zou het niet ontzettend grappig zijn om hem hier te laten liggen?'

'Eh... niet bepaald, nee,' zei Mike, die eindelijk uitgelachen was.

'Denk er eens over na.' Ik liet me naast hem op de grond zakken en haalde mijn vingers door zijn haar. 'De volmaakte Justin Balmer, die een travestiet blijkt te zijn?'

Mike keek niet erg overtuigd.

'Kom op,' probeerde ik hem over te halen, 'we hebben al heel lang geen streek meer uitgehaald. Hij wordt waarschijnlijk toch wakker zodra de dominee hier morgenochtend aankomt. Hij hoeft alleen maar in die kleren naar huis te liften, meer niet.'

'Maar...' begon Mike te protesteren terwijl ik hem op zijn kaak kuste. 'Hij woont anders wel helemaal in West Palmetto,' zei hij.

'Precies,' zei ik, en ik voelde hoe mijn plan aan kracht won. 'En wil je echt wel zo ver rijden als je gedronken hebt?'

Mike haalde zijn schouders op en schonk me een heel flauw glimlachje. Ik had hem te pakken. Ik wíst het gewoon.

'Ja, dat is misschien wel soort van grappig. Maar dan moeten we wel het water bij hem laten en zorgen dat hij onze nummers in zijn telefoon heeft.'

'Mee eens,' beaamde ik. 'We willen niet te ver gaan.' Ik keek achter me om te kijken of J.B. nog steeds onder zeil was. Dat was hij.

Ik liep naar de auto, pakte de fles water en zocht in mijn tas naar mijn lippenstift. Die was niet zo flitsend als de kleur die J.B. eerder op de avond had gedragen, maar ik vond dat ik op zijn minst zijn gezicht even kon opfrissen voordat we hem aan zijn lot overlieten.

De auto ronkte. Mike draaide zich achter het stuur om.

'Schat, ik vind het maar niks hier,' zei hij. 'In je eentje, dronken, bij de kerk. Doodeng. Schiet een beetje op, ja? Ik keer de auto alvast.'

'Best.' Ik knikte – een en al de meelevende vriendin. 'Ik ben zo terug.'

Ik wilde net het portier dichtslaan toen mijn oog op iets viel. Het was een klos met het gevlochten witte touw dat de familie King altijd gebruikte om hun boten in de jachthaven vast te leggen. Mmm, dat kon je volgens mij ook best gebruiken om andere dingen vast te binden. Mike mocht hier dan mee ingestemd hebben omdat hij dacht dat J.B. wakker zou worden en de benen zou nemen voordat de eerste kerkklokken luidden, maar misschien was het grappiger om die jongen een soort van handicap mee te geven. Iedereen wist het: wie de bal kaatst kan hem terug verwachten, en J.B. was het stadium allang voorbij waarin hij zich machteloos kon voelen. Ik stopte het touw in mijn zak en holde terug naar het grasveld.

Hij lag nog steeds waar wij hem hadden achtergelaten, met zijn hoofd aan de voet van een palmboom. Ik had altijd gevonden dat de kerststal er bespottelijk uitzag in dit bosje palmbomen, uit Zuid-Florida geïmporteerd. Nu stond ik op het punt om nog een belediging voor het oog aan het terrein rond te kerk toe te voegen.

Ik keek om of Mike de auto echt wel gekeerd had. Om de hoek lichtten de achterlichten op. Mooi zo. Grote kans dat hij dit hele bondagegedoe geen goed plan zou vinden. Grappig: als J.B. wakker was, was hij misschien wel precies zo'n soort jongen geweest die er de lol wel van inzag om vastgebonden te worden. Toen ik het touw om zijn polsen vastmaakte – wat nog niet meeviel met die handschoenen aan – gingen zijn ogen open.

Er trok een flauwe grijns over zijn gezicht.

'Wat ben je allemaal van plan, meisje?' fluisterde hij.

Ik boog me naar voren, zodat mijn lippen zich vlak bij de zijne bevonden.

'Ondeugd,' zei ik, terwijl ik de knoop om de boomstam strak trok. 'Nu braaf zijn en weer gaan slapen.'

'Oké.' Hij knikte versuft, en hij deed zijn ogen weer dicht.

Ik onderdrukte een lach. Dat was misschien wel de eerste keer dat J.B. mij blindelings had gehoorzaamd. Ik smeerde nog wat lippenstift op zijn lippen. Had ik verder nog iets nodig om zijn uitdossing af te maken? Nog een kralenketting? Een strategisch neergelegd condoom? Voor ik het wist doorzocht ik zijn zakken op zoek naar een pièce de résistance.

Hebbes.

Mijn hand sloot zich om een oranje medicijnflesje, dat ik uit zijn spijkerbroek wurmde. Hmmm... J.B.'s geheime gelukspilletjes, strategisch op het gras rond zijn bewusteloze lichaam gestrooid?

Ik woog het flesje in mijn hand en keek omlaag naar zijn gezicht. Zijn dichte ogen zagen er heel vredig uit. Maar hij was helemaal niet vredig: hij was gewoon zo ver heen dat hij zich hier de volgende ochtend niets meer van zou herinneren.

Ik realiseerde me dat ik vreemd genoeg juist wilde dat hij het zich wel zou herinneren. Ik wilde dat de wetenschap dat ik hierachter zat hem een ongemakkelijk gevoel zou bezorgen. Hij mocht de vete dan zijn begonnen, ik zou als laatste lachen. Ik stopte het flesje pillen in de zak van Mikes smokingjasje.

'Misschien helpt dat morgenochtend om je geheugen weer op gang te brengen,' zei ik, en ik gaf hem een klopje op zijn hoofd. 'Droom zacht.'

7 NIETS IN ZIJN LEVEN PASTE HEM ZO GOED ALS HET EINDE ERVAN

Op de drempel van de slaap wacht ik met mijn kroningstiara op en een lange écrukleurige jurk met blote rug aan. Ik sta voor de deur van Scot's Glen Golf en Country Club en wacht tot het geklepper van paardenhoeven de hoek om gaat en me naar mijn prins brengt.

Het moment dient zich zo snel, zo soepeltjes aan dat ik me amper kan herinneren dat bekend werd gemaakt dat wij gewonnen hadden. Daar kan ik allemaal niet mee zitten. Dit moment in het rijtuig is het moment waarop alles begint.

Als het door een paard getrokken rijtuigje eindelijk om de hoek verschijnt, zie ik dat het nog chiquer en blitser is dan ik me had voorgesteld. Het rijtuig zelf is heel rijk versierd, in de vorm van een reusachtig zilveren paasei, met witte rozen en slierten twinkelende lichtjes. Zelfs de koetsier draagt een wit rijkostuum, en als hij van de bok springt, buigt hij en houdt de deur van het rijtuigje voor me open.

Tot mijn verbazing begin ik te rennen. En in de droom zakken mijn witte naaldhakken niet weg in het gras van de golfbaan. Mijn hofdames keuren mijn openlijk getoonde emoties niet af. Ik ren naar Mike toe, naar het vieren van onze toekomst. Op dit ritje met het rijtuig zullen alle ritjes met rijtuigen van Palmetto in de toekomst gebaseerd zijn.

'Mevrouw.' De koetsier kijkt me stralend aan en kust mijn in een witte handschoen gestoken hand.

'Dank u.' Ik glimlach zedig, knik en laat me door hem omhoog op mijn zitplaats helpen.

Poef.

Een sliert rook onttrekt het interieur van het rijtuig aan het oog. En dan hoor ik een stem:

'De plannen zijn gewijzigd, prinses.'

Ik hoest, wapper met mijn handen door de mist, en als de lucht in het rijtuig optrekt, zakt mijn mond open. Justin Balmer zit naast me, daar waar Mike hoort te zitten.

O, en het was tot op dit punt nog wel zo'n fijne droom geweest. Het is net alsof hij met zijn zwarte smoking en felgroene strikje het hele rijtuig vult, zodat ik bijna geen lucht meer krijg en hij groter dan levensgroot lijkt.

Als hij naar me glimlacht, boren zijn groene ogen zich in de mijne.

'Jou had ik toch bij de kerk achtergelaten?' vraag ik, terwijl ik de stoelzitting vastgrijp.

'O, maar daar vind je me straks wel weer,' zegt J.B. met een cryptische glimlach. 'Maar ik zat zo strak vastgebonden dat het niet leuk meer was, en ik wilde jou een goede raad geven.'

Ik schud mijn hoofd. 'Nieuwsflits: we hebben de Palmetto-verkiezing gewonnen, en jij hebt verloren. Probeer maar of je die wijze woorden kwijt kunt aan mensen die nog meelijwekkender zijn dan jijzelf... Als je die kunt vinden, tenminste.'

'Niks daarvan,' zegt hij. 'Deze boodschap is alleen voor jou bedoeld.'

Als ik zijn toon hoor, kijk ik naar hem op. Zijn mond staat in een rechte lijn, maar zijn ogen zijn lichter – ze lachen bijna. Vreemd genoeg lijken die wel het enige in zijn gezicht dat echt leeft.

'Wat doe je?' vraag ik.

'Glimlachen,' zegt hij, 'met mijn ogen. Weet je nog?'

Zelfs in de droom rollen mijn gedachten terug in de tijd. Iets aan zijn gezicht roept een heel vroege herinnering op: J.B. die alle meisjes uit de eerste klas opstelt voor onze eerste slotdans. Hij was flirterig en probeerde heel verleidelijk iedereen de ogen te laten opensperren, terwijl we wel heel beleefd onze mond dichthielden. Terwijl hij zo langs de rij liep, moesten alle andere meisjes giechelen. Ik transpireerde door mijn hooggesloten jurk heen. Justin hield pal voor me halt, en toen was hij degene die stokstijf bleef staan. Je komt me bekend voor. Hebben wij elkaar al eens eerder ontmoet?

'Je moet het nog steeds leren,' zegt J.B., terwijl hij me doordringend blijft aankijken. Zijn groene ogen stralen kracht uit, ook nu zijn huid bleek wordt en zijn lippen blauw kleuren.

'Jij kan hier helemaal niet zijn,' zeg ik dan maar, en ik schuif het witte gordijntje opzij om door het raam van het rijtuig naar buiten te kijken. Ik begin claustrofobisch te worden. 'Je moet weggaan. Mike kan hier elk ogenblik zijn.'

J.B. schudt zijn hoofd en ziet er plotseling moe uit. Als Justin wegkijkt, voel ik nog een tochtvlaag – een ijskoude dit keer. Ik ril en ik krijg kippenvel.

'Zoals ik al zei,' fluistert hij bijna, 'de plannen zijn gewijzigd.'

Dan leunt hij achterover op zijn stoel en doet langzaam zijn ogen dicht.

'Natalie Carolina Hargrove!'

Toen ik mijn moeder de volgende ochtend vanuit de keuken naar boven hoorde brullen, schoten míjn ogen juist open. Ik schudde mijn hoofd om de droom terug te halen – nee, te verjagen – maar toen ik merkte dat mijn huid helemaal vlekkerig was van het kippenvel, schrok ik. Ik trok de dekens over mijn hoofd en dook weer weg in het kussen.

'De familie Duke is er,' riep mijn moeder juist op dat moment. 'Kom naar beneden, dan kun je met je toekomstige familie ontbijten.'

Ik wil dood. Mijn toekomstige familie? Dat ging wel erg ver, zelfs voor mijn moeder. Misschien dat zíj per se wilde dat deze ongelukkige verloving doorgang vond, maar het was echt uitgesloten dat ík Richard Duke of zijn varkensachtige dochter Darla ooit als familie van me zou beschouwen.

'Ik heb geen honger,' brulde ik terug naar mijn moeder. Als ik samen met de familie Duke naar de kerk gesleept moest worden, onder het toeziend oog van heel Palmetto, dan was er een grens aan de in hun gezelschap doorgebrachte *quality time* die in alle redelijkheid van mij verwacht kon worden. Ik wist dat een ontbijt met het meest recente kapitaalsrisico van mijn moeder mijn geestelijk faillissement zou betekenen, en ik moest vandaag bij de les zijn als we voor de kerk stilhielden.

'Daar trap ik niet in,' antwoordde mijn moeder. Ze had mijn kamerdeur op een kier opengezet en haar kastanjebruine Carmen-krullen naar binnen gestoken. 'Kun je niet een heel klein beetje je best doen?' vroeg ze. 'Voor míj?' Mijn moeder trok haar onderlip omlaag – een overdreven pruilmond die nog erger werd door de matte paarsroze lippenstift die ze er dik op had gesmeerd.

'Ik dacht dat je zei dat we naar de kerk zouden gaan,' zei ik, terwijl ik de rest van mijn moeders uitdossing monsterde. Haar gehighlighte pony was omhoog gekamd, omhoog, en nog wat verder omhoog in een suikerspin waaraan af te lezen was hoe goed ze de kunst van het touperen beheerste – een favoriete stylingtechniek onder de rosédrinkende vriendinnengroep van mijn moeder. Haar blauwe ogen waren omrand met zilverkleurige oogschaduw die in sierlijke, zij het nogal opzichtige, kattenogen uitliep. En haar rood-met-witte stippeltjesjurk zat zo strak om haar rondingen dat ik zag dat ze die speciale ademtechiek toepaste (van die korte pufjes, uit de tijd dat vrouwen nog een korset droegen) waarvan ze dacht dat niemand het merkte. Ze zag er geweldig uit – voor een varieté-act. Maar mijn arme, lieve, uit een woonwagen overgeplaatste moeder was bij lange na nog niet zover dat ze in Palmetto in een kerkbank niet uit de toon viel.

'Natuurlijk gaan we naar de kerk, liefje,' zei mijn moeder met een overdreven accent, zich van de prins geen kwaad wetend – wat niet zo vreemd was. 'Zodra je jezelf met kater en al naar beneden heb gesleept om met de familie Duke een lekker gezond ontbijt te eten.'

Ik kreunde. Aangezien ik nog niet uit bed was gekomen, wist ik niet in welke mate ik last zou hebben van mijn kater – en ik wilde niet dat mijn moeder getuige was van het gevreesde moment waarop ik mijn bed uit rolde. Nadat we J.B. de avond ervoor bij de kerk lekker in zijn eigen versie van een kerststal hadden ingestopt, waren Mike en ik bij een drankwinkel langsgegaan om nog een fles bubbels te halen voor onderweg naar huis. Het beeld van J.B., die gesmoord door zijn boa wakker zou worden, was gewoon een toost waardig. Dat moest gevierd worden. Maar nu mijn moeder zo over me heen hing, kreeg ik het gevoel dat ik een hoge prijs moest betalen voor het feit dat ik de avond met zulke goedkope champagne was geëindigd.

Ik wankelde naar mijn spiegel om de schade op te nemen.

Ai, dat deed pijn. Mijn haar droeg nog vaag de herinnering met zich mee aan de pijpenkrullen van de avond ervoor, maar die zaten nu wel in geklitte dotten over mijn hele hoofd. De lijm van mijn nepwimpers had plakkerige klontjes op mijn oogleden achtergelaten, en mijn lippen waren dik en vertoonden barstjes.

'Nou, zo te ruiken heb je het gisteravond in elk geval naar je zin gehad,' zei mijn moeder, terwijl ze zogenaamd nuffig haar neus dichthield. Ze zuchtte. 'Dan heeft je moeder je tenminste nog iets geleerd.'

Mijn moeder was een voormalige schoonheidskoningin uit Cawdor County, en in het echte leven een gesjeesde schoonheidsspecialiste. Toen ze eindelijk de moed had om met haar werk als serveerster te stoppen, was mijn moeder parttime in het mortuarium van Charleston gaan werken, waar ze overledenen opmaakte, van wie de familie te moedeloos was om protest aan te tekenen. Maar de afgelopen paar weken had haar man-van-de-maand haar aan haar verstand gebracht dat ze haar werkzaamheden moest uitbreiden naar levende mensen. Ze had zelfs al kaartjes laten drukken met haar meisjesnaam erop, en de vindingrijke, maar waarschijnlijk onopzettelijk dubbelzinnige slogan:

DOTTY PERCH: U ZULT ER NOOIT BETER UITZIEN.

Het spreekt natuurlijk voor zich dat het bedrijfje van mijn moeder nog van start moest gaan, maar aangezien ik zeventien jaar lang de enige levende ontvanger was van haar adviezen over hoe je je 'behoorlijk moest opdoffen om een man te krijgen', steunde ik de zoektocht van mijn moeder naar een wat ontvankelijkere klantenkring van ganser harte.

Het leven met het soort alleenstaande moeder zoals ik had – dat wil zeggen, het soort dat eigenlijk nooit echt lang achter elkaar alleenstaand is – is één lang, onophoudelijk heen en weer schakelen tussen ouder/kind en beste vriendin. Toen ik mijn eerste kus kreeg – op mijn twaalfde, achter in de hengelsportwinkel, en ja, vlak naast de wormen – wilde mijn moeder meer intieme details horen dan al mijn vriendinnen op school bij elkaar.

Jammer genoeg ging ze ervan uit dat ik op mijn beurt ook belangstelling voor haar seksleven had. Er is een tijd geweest waarin mijn moeder steevast, zodra ze de volgende ochtend na een afspraakje weer thuis werd afgezet, bij mij in bed stapte. Dan ging ze lekker dicht tegen me aan liggen en viel in slaap, terwijl ze nog mompelde dat ze zo blij was dat we beste vriendinnen waren. Ik veegde de oogschaduw weg die zich in een natte plooi boven haar ogen had verzameld, maar had nooit het lef om zo hard te kreunen dat ze er wakker van werd.

Daar wil ik maar mee zeggen dat elke keer dat mijn moeder de houding van een strenge ouder aannam en bijvoorbeeld als een slavendrijver probeerde om mij naar beneden te krijgen om te ontbijten, het me moeite kostte om haar serieus te nemen. Soms wilde ik dat ze mijn filosofie over de omgang met Binky zou volgen. Gewoon kiezen aan welke kant je stond en je daar dan vervolgens ook aan houden.

Nu pakte mijn moeder een borstel van·mijn kaptafel en ging ermee door de klittenboel boven op mijn hoofd. 'Zal ik het een beetje voor je touperen, liefje? Een beetje spuitbuslucht doet voor mij altijd wonderen als ik een kater heb.'

'Laat maar zitten, mam. Ik spring wel even onder de douche.'

'Goed zo, schatje,' zei ze, en ze gaf me een kus op mijn voorhoofd. 'Als je maar niet vergeet dat...'

'We een familie-ontbijt hebben,' maakte ik haar zin voor haar af.

Mijn moeder gaf me opgelucht een dubbele knipoog en liep naar de deur.

'Voor je weggaat,' zei ik, terwijl ik de hangertjes in mijn klerenkast doorzocht. 'Volgens mij heb ik hier een vestje dat heel mooi bij je jurk staat.' Ik trok de witte trui tevoorschijn die ik naar het etentje met de familie King had gedragen en drapeerde het om de blote schouders van mijn moeder. 'Perfect,' zei ik, 'voor naar de kerk.'

Een halfuur later slofte ik de trap af in mijn versie van een kerkoutfit. Ik had nog steeds een kater, was nog steeds chagrijnig over het feit dat ik gedwongen werd om met de familie Duke te ontbijten, maar in elk geval wist ik dat mijn kleren, in tegenstelling tot die van mijn moeder, niet uit de toon zouden vallen bij de kerkgaande elite van Charleston. Ik had die dag gekozen voor een donkerblauwe doorknoopjurk, ballerina's met open teen, parels (uiteraard) en een panty met een werkje. Ik nam me voor om mijn moeder eraan te helpen herinneren dat ze ook een panty moest aantrekken – al wist ik dat ze zou protesteren, omdat Richard ervan hield als 'haar benen vrij waren'.

Richard Duke. In Charleston ook wel bekend als de geldschieter achter de succesvolle bloemenzaak, de Jasmijnkoning. Minder bekend als de Zak, want zo noemden Mike en ik hem achter zijn rug – en soms ook heel zacht waar hij bij was.

Ik rook de veel te zware geur van de lelies die hij altijd voor mijn moeder meebracht (niet echt hoffelijk als ze toch gratis zijn, Richard). Ik hoorde de zielloze cliché-jazz die hij altijd per se wilde opzetten.

'Dotty,' zei hij tegen mijn moeder, 'je hebt jezelf echt overtroffen met die grutten met kaas. Mag ik nog een derde keer opscheppen?'

Toen ik de keuken in liep, zag ik mijn moeder stralen.

'Natalies vader hield er nooit van,' zei ze. Ze keek me aan. 'Moge hij rusten in vrede.'

Bij die zin trok ik wit weg, en ik dacht weer aan het onwelkome – en nog steeds onbeantwoorde – sms'je. Mijn moeder mocht dit elke keer dat ze het over mijn arme overleden vader had zeggen, maar dit keer klonk het vreemd genoeg onheilspellend. Ik keek haar met half dichtgeknepen ogen aan. Wist ze dat mijn vader uit de gevangenis was? Had hij haar soms ook een berichtje gestuurd?

Maar aan de onschuldige blik op haar gezicht, terwijl ze keek hoe Richard de laatste grutten opschepte, zag ik dat mijn moeder geen idee had van deze nieuwe ontwikkeling. Het was bijna alsof mijn moeder zich er onderhand van had weten te overtuigen dat haar echtgenoot echt een ongeluk met een zeilboot had gehad.

'Ah, daar ben je, Nat.' De Zak deed een stap naar voren om me een kus te geven. Door de vochtige lucht was zijn over zijn kale schedel gekamde haar van zijn plaats gekomen, en hij had kaasgrutten in zijn reusachtige snor. Maar ik wist dat mijn moeder zou flippen als ik voor zijn lippen zou terugdeinzen.

'Kijk nou toch eens,' zei de Zak, terwijl hij van zijn dochter Darla naar mij gebaarde, en weer terug. 'De mooiste jonge blommen van Charleston bij elkaar.' Hij legde zijn arm om mijn moeder heen. 'Waar hebben we het aan te danken?' Darla had voor de kerk een eenvoudige gele rechte jurk aangetrokken, met een hoge hals die haar lange decolleté verhulde. Voeg daar nog het kroezige, goor bruine haar en de hangende oorlellen die ze van haar vader had geërfd aan toe, en de droom van deze Dubbel-D om tot de *inner circle* van Bambi's toe te treden was zo ongeveer net zo hopeloos als de radeloze pogingen van mijn moeder om de status van de derde kerkbank te verwerven. Mijn moeder had in elk geval het lef om datgene na te streven waar ze haar zinnen op had gezet, maar Darla's uitstraling was met de beste wil van de wereld nog niet eens saai te noemen.

'Ben je gisteravond vroeg weggegaan bij Rex?' vroeg ze aan mij, terwijl ze door een rietje een slokje van haar sinaasappelsap nam. 'Ik zag je juichen toen J.B. op zijn kop uit dat vaatje dronk, maar daarna kon ik je niet meer vinden.'

Wie had er in vredesnaam zelfs maar notitie van genomen dat Darla gisteravond ook op dat feest was? Ik keek even naar mijn moeder, die bemoedigend zat te knikken. Ze smeekte me met haar ogen zo'n beetje om Darla onder mijn hoede te nemen.

'Ik was moe,' legde ik uit. 'De avond voordat we naar de kerk gaan moet ik altijd zorgen dat ik mijn schoonheidsslaapje krijg.'

'Nu we het daar toch over hebben,' zei mijn moeder zangerig, terwijl ze een roodgelakte nagel omhoogstak, 'die derde kerkbank wordt er niet leger op. Heeft iedereen genoeg gegeten?'

Ik griste snel een banaan mee voor onderweg en gooide mijn moeder nog in een wanhoopspoging een panty toe, en toen liepen we gevieren naar buiten.

'Sorry allemaal, maar er kunnen maar twee mensen in mijn Porsche,' zei Richard, en hij lachte erbij alsof er nog een geweldige woordgrap in verborgen zat. 'Ik hoop dat jullie het niet erg vinden dat we met het busje van de winkel naar de kerk gaan.'

Ik keek naar de reusachtige, witte bus met op de schuifdeur aan de achterkant het logo van de Jasmijnkoning erop (een cartoon van Richards gezicht, omringd door trompetvormige cartoonbloemen). O god, vergeef mijn moeder dat ze me dit de week voor de Palmetto-verkiezing aandoet.

Ik begon me al af te vragen of ik dit karma soms verdiend had. Ik had J.B. die ochtend immers met een akelige openbare vernedering opgezadeld. Lag het gewoon aan de kosmos dat ik nu dus in het openbaar uit het bloemenbusje moest stappen?

Als mijn reputatie op Palmetto niet al zo stevig was als een Labello-stick in december, was ik misschien een beetje zenuwachtig geworden. Maar toen de Zak onze oprit af reed, hield ik mezelf voor dat ik bijna de Palmetto-prinses was – en dat dit ritje maar een voorbeeld was van… Hoe luidde dat gezegde ook alweer? Alles waar je niet kapot aan gaat, daar word je sterker van.

'Lieve hemel,' fluisterde mijn moeder vanaf de stoel voorin toen we er bijna waren. 'Wat is er in vredesnaam bij de kerk aan de hand?'

Het kwam voor het eerst sinds de avond ervoor in me op dat J.B. misschien nog wel steeds buiten lag. Ik dacht dat degene die hem als eerste gevonden had, hem wel zou losmaken, hem – maar niet zijn reputatie – zou bevrijden en dat hij dan met schande overladen naar huis zou rennen.

Nu we de parkeerplaats op reden, bad ik dat de stunt van de avond ervoor inmiddels wel opgelost zou zijn. Oké, in het ergste geval, als hij er nog lag, duimde ik dat hij in ieder geval zo van de wereld was dat hij zich niet meer herinnerde hoe hij daar verzeild was geraakt.

Wacht…

Wat hadden al die blauwe zwaailichten te betekenen?

Wat hadden die agenten bij de kerk te zoeken, terwijl het toch primetime was om donuts te eten?

En waarom hadden ze in vredesnaam een ambulance gebeld?

De Zak trapte vol op de rem en mijn hart schoot zo ongeveer de bank voor in het busje op. Ik gooide de reusachtige schuifdeur open en sprong eruit. Mijn moeder, de Zak en Darla zaten me op de hielen, maar ik rende door tot ik bij de menigte was die rond de boom was samengedromd waar ik J.B. de avond ervoor had achtergelaten. Tegen die tijd was mijn lichaam helemaal gevoelloos geworden.

'Wat is er gebeurd?' riep ik in de gonzende menigte. 'Wat is er aan de hand?'

Steph Merritt draaide zich om en legde een bevende hand op mijn schouder. 'Het is J.B.,' snikte ze, terwijl ze met haar neus trok. Ik beet op mijn lip en herinnerde me dat het gerucht ging dat zij dit semester heel wat keren op de achterbank van J.B.'s Camero was gespot. Ik had nooit erg veel respect gehad voor Steph of voor haar donkere uitgroei.

64

'Wat is er met J.B.?' drong ik aan.

'Hij is dood.'

Mijn brein wist dat mijn handen omhoog waren geschoten naar mijn wangen, maar mijn lichaam voelde niets. Het werd doodstil, op een ruisend geluid na dat van binnen uit mijn hoofd leek te komen. Hij kon toch niet...

'Hij had altijd en overal zijn pillen bij zich,' snufte Steph, terwijl ze haar neus snoot in een geborduurd zakdoekje.

Wat maakte het uit dat J.B. pillen bij zich had? Het waren gelukspilletjes. Feestpillen. Het waren... Mikes jaszakpillen. Ik herinnerde me de vlaag koude lucht uit mijn droom en rilde.

Mijn moeder kwam achter me staan en ging op haar tenen staan. 'O, J.B., lieve jongen, wat is er met je gebeueueurd?' kreunde ze.

Ik pakte haar hand en kneep erin, vurig wensend dat ze haar mond zou houden. *Geen scène trappen, mam, geen scène trappen. Echt iets voor jou om helemaal voor zijn charmante geflirt te vallen, maar daar is het nu even niet het goede moment voor.*

Maar voor mijn moeder de rest van de menigte kon overvleugelen, kwam het ambulancepersoneel eraan met een lege brancard. Het idee dat ze hem nu al wegreden, had iets vreselijks. Ik kneep mijn ogen dicht en probeerde de ergste episoden van de avond ervoor uit mijn hoofd te bannen. Ik begreep niet wat er gaande was. Justin. Justin kon toch niet dood zijn? Er was sprake van verwarring, meer niet.

Toen ik de hele samenscholing tegelijk naar adem hoorde happen, deed ik mijn ogen open. J.B.'s slappe lichaam kwam samen met de brancard omhoog.

Zijn huid had de kleur van een oude blauwe plek, dof en gelig, en zijn haar zat tegen zijn voorhoofd geklit. Hij had nog steeds het zwartleren rokje en de netpanty aan, en nog steeds bungelde die ene schoen met hoge hak aan zijn voet.

Ik keek omlaag naar mijn handen. Die enkel had ik de avond ervoor nog vastgehouden – en nu voelde ik mijn vingers amper. Ik voelde eigenlijk sowieso bijna niets.

Vlak voordat de ambulancemedewerkers J.B. in de auto tilden, zag ik mevrouw Balmer staan. Ze boog zich over haar zoon en aaide hem over zijn wangen. Ze wikkelde de knalroze veren boa van zijn dode nek en stak die beverig in haar tas. Toen gaf ze zich over aan een lange, moeizame reeks snikken, tot ze haar op een gegeven moment van zijn lichaam af trokken.

Ik realiseerde me niet dat ik mijn adem had ingehouden, en plotseling dacht ik dat ik zou flauwvallen. Ik keek waar ik ergens frisse lucht kon krijgen en waar ik even kon gaan zitten. Toen voelde ik mijn telefoon in mijn tas gaan. Wie sms'te me nou op zo'n tijdstip?

Popje – je gaat me toch niet negeren, hè? Wees eens lief voor je vader en bel me, ja? Ik mis je, meid.

Mijn hoofd tolde. Ik kon mijn vader er nu echt niet bij hebben. Ik drukte op wissen. Wissen wissen wissen. Ik sloeg het berichtje zo ongeveer mijn telefoon uit. Dit zou voortaan mijn sms-mantra zijn. In elk geval tot ik had opgevangen dat mijn vader de stad weer uit was. In elk geval tot deze vreselijke toestand met J.B. een beetje... was gekalmeerd? Wat hield die vreselijke toestand eigenlijk precies in? Ik kon niet helder nadenken. Ik begreep niet wat er gebeurd was. Het kostte me moeite om adem te halen.

'Dat was dan het einde van de competitie voor de Palmetto-troon,' hoorde ik iemand achter me zeggen.

De luide stem van Rex Freeman klonk vreugdeloos. 'Nou, die prins is zo te zien wel uitgeschakeld, hè King?'

Mike. Waar was hij? Ik had hem nodig. Hij had mij nodig. Ik stond te trillen op mijn benen. Mijn ogen vlogen langs de menigte op zoek naar mijn liefste, mijn liefste, mijn liefste...

Daar. Mike stond heel stoïcijns een eindje van de kring verwijderd, in zijn zondagse pak. Hij werd geflankeerd door zijn ouders, en aaide Diana's hand.

Maar hij keek mij recht aan.

Ik wilde al in een opwelling door de menigte heen naar hem toe stormen, want ik voelde me weer helemaal leven, het bloed stroomde weer door mijn lichaam. Mijn hart ging zo erg tekeer dat ik bang was dat mijn ribben zouden breken. Ik moest bij hem zien te komen. Mike zou wel weten wat we moesten doen.

Toen ik naar hem toe liep, schudde hij zijn hoofd en kneep zijn donkere ogen samen. 'Nat, wat heb je gedaan?' mimede hij geluidloos, en de rillingen liepen me over de rug.

8 ABSOLUUT VERTROUWEN

Op maandagochtend werkte ik tijdens de twintig minuten durende rit naar school een heel pakje Juicy Fruit-kauwgum weg. Met een pijnlijke kaak en een baksteen in mijn maag parkeerde ik op mijn vaste plek onder de vooroverhangende palmboom. Ik stapte uit en moest dat voorbeeld volgen door tegen het portier te leunen om op de been te blijven. Het zweet stroomde in mijn nek. Hoe moest ik ooit de school halen?

Plotseling kreeg ik een zetje van juffrouw Cafiero, mijn wiskundelerares met beginnende snor, die me praktisch aan mijn oorlel naar de trap voor de school sleurde.

'Wacht, het is nooit mijn bedoeling...' begon ik al op te biechten.

'Bewaar dat maar voor later,' onderbrak ze me, terwijl ze de leerling uit de auto naast de mijne bij zijn oorlel pakte en ons allebei in de richting van de aula duwde.

'Ga naar de gevangenis,' beval juffrouw Caf, alsof het een spelletje Monopoly betrof. 'Geen tweehonderd dollar pakken. Ga naar de aula. Ga rechtstreeks naar de aula.'

'Maar ik heb handenarbeid,' jammerde de leerling naast me.

'Nee, vandaag niet,' beet Caf hem toe. 'Een medeleerling is bij een vreemd ongeluk om het leven gekomen. Dan kan dat modelvliegtuigje wel even wachten.'

Een vreemd ongeluk. Zo noemde de school het dus. Dat was het eerste niet-angstaanjagende nieuws dat ik sinds gisterochtend gehoord had, toen mijn hele wereld in duigen was gevallen. Voor ik naar binnen ging moest ik meer te weten zien te komen. Kon ik maar even een tussenstop maken op de wc's van de eersteklassers, om Tracy Lampert een bezoekje te brengen...

'Ik moet naar de wc,' probeerde ik bij juffrouw Cafiero, maar het lukte me niet om me langs haar Botticelli-heupen te wurmen.

'Nou, dan zul je het toch even moeten ophouden,' zei juffrouw Cafiero met een frons, terwijl ze mijn gespannen schouders de aula in loodste. Ik hield mijn adem in en struikelde naar binnen.

Zodra ik over de drempel was en in die grote aula met dat hoge plafond stond, werd ik overvallen door een min of meer troostend déjà vu. In deze zaal was ik zo ongeveer volwassen geworden. Het was zo'n kameleontische zaal, dé plek voor alle grote gebeurtenissen op Palmetto. Hier hadden we elk najaar de laatste bespreking voor de feestdag voor oud-leerlingen gehouden. Afgelopen jaar hadden we op deze stoelen kronkelend zitten luisteren naar die enge mannelijke gynaecoloog die ze hadden laten overkomen toen de school met een soa-golf te maken had gekregen. Afgelopen voorjaar, toen Mike in *Julius Caesar* de rol van Marcus Antonius speelde, was de zaal zelfs uitverkocht geweest. Maar ik had nooit eerder zo'n geroezemoes in de aula gehoord als toen ik er die ochtend binnenliep.

Iedereen was in het zwart. Een paar meisjes uit de eerste droegen zelfs een donkere sluier voor hun gezicht. Ik keek omlaag en was plotseling blij dat mijn donkergrijze kasjmieren trui voor rouwkleding kon doorgaan die iedereen op Palmetto leek te dragen.

Ik kreeg niet alleen van de kleding zo plotseling de zenuwen. De energie in de zaal leek overal rond te stromen, doordat leerlingen overal vluchtig gesprekjes voerden en door de gangpaden op en neer renden. Niemand kon stilzitten. We leken wel een kolonie mieren waarvan net hun hol in elkaar was geschopt.

Ik werd duizelig van de chaos. Ik pakte mijn tas, want ik wilde nog een stukje kauwgum, maar herinnerde me toen weer dat die op was. Mijn kaak bonkte. Ik wilde dat Tracy er was en ik wilde dat Mike er was. Moest ik echt door deze zee van snikkende Bambi's heen waden om hen te gaan zoeken?

Helemaal vooraan zag ik Kates lange haar in de fluorescerende lampen van de gymzaal glinsteren. Ik wurmde me naar haar en naar het kwartet tweedeklassers dat om haar heen gedromd stond toe. Ze deelden een doos tissues met elkaar, alsof het popcorn was.

'Stel nou dat hij nooit meer terugkomt?' kreunde Kate tegen de andere meisjes. Ik moest even goed kijken en toen drong tot me door dat ze huílde.

'Je moet je op het ergste voorbereiden,' mengde Steph Merritt zich erin, terwijl ze Kate hielp haar neus te snuiten.

Jezus. Hadden die kinderen dan nog meer bewijs nodig? Kate kende J.B. amper. Ik weet dat het vreemd klinkt dat ik me plotseling over zijn dood wilde ontfermen, maar ik had hem gekend. Ik had hem zelfs een beetje te goed gekend. Had ik dat recht dan niet verdiend?

'Wat, zag hij er gisterochtend soms niet dood genoeg uit?' flapte ik er te onaardig, te snel uit. De andere meisjes sprongen zo ongeveer naar achteren van schrik, maar Kate snufte alleen maar, zonder een oordeel te vellen.

'We hebben het helemaal niet over J.B.,' zei ze. 'Heb je het dan niet gehoord van Baxter?'

'Wat is er met hem?' vroeg ik snel, terwijl ik de aula rondkeek.

Kate schonk de meisjes een verontschuldigende frons en deed een stap naar voren, om mij bij mijn arm vast te pakken. Ze liep een paar meter bij het groepje vandaan, naar een relatief rustig plekje.

'Baxters telefoon,' zei Kate huiverend, 'is het hele weekend onbereikbaar geweest. Ik heb het helemaal gehad; ik denk dat ik hem gisteren wel twintig keer geprobeerd heb.' Ze keek me aan. 'Hij zei dat we samen huiswerk zouden maken.'

'Dus hij heeft je niet teruggebeld,' zei ik schouderophalend. 'Dat kan van alles betekenen. Misschien heeft hij een huiswerkbegeleider ingehuurd...'

'Maar zaterdagavond...' Ze bloosde en wendde haar blik af. 'Toen hebben we zeg maar... Op het feest...'

Ik zuchtte en wreef over mijn slapen. Ik voelde de spanning al in mijn hoofd oplopen.

'Kate, heb je enig idee hoeveel jongens uit de hogere klassen van deze school met meisjes uit de tweede naar bed gaan en ze vervolgens laten zitten?' vroeg ik.

Kate deed haar mond open om iets te zeggen en schudde haar hoofd. De tranen sprongen haar in de ogen. Het was niet mijn bedoeling geweest om haar aan het huilen te maken, maar meestal had ze een dikkere huid.

'Het spijt me,' zei ik, en ik kneep in haar schouder. 'Zo had ik het niet bedoeld. Ik ben gewoon helemaal van slag over dat nieuws over J.B. Ik had niet...'

'Laat maar,' zei ze zacht. 'Ik ben ook van slag. Een van de partners van het bedrijf van mijn vader heeft net gehoord dat Justin zondagochtend bij zonsopgang al dood was. Hij was al weg toen de beheerder de ambulance belde. Baxter, bedoel ik. Ze wijten J.B.'s dood aan een slechte combinatie van drugs. Maar...' Ze keek even op en haar lip trilde. Ze keek me met een verschrikkelijk gekwelde blik aan.

'Maar wat?' vroeg ik, en ik voelde de verdoofde tinteling van de dag ervoor weer over me heen spoelen.

Kate boog zich naar me toe om te kunnen fluisteren. 'Maar Baxter is vandaag niet op school,' zei ze. 'En nu zeggen de eersteklassers dat hij misschien iets te maken heeft met wat er is gebeurd.'

'Dat is vast pure speculatie,' zei ik, al wist ik best dat Tracy Lampert nooit ofte nimmer speculeerde.

Kate schudde haar hoofd. 'Nee, ze hebben het over een filmpje dat Baxter die avond gemaakt heeft. De eersteklassers zeggen dat J.B. op heel veel beelden op die dvd te zien is en dat als de politie dat te zien krijgt...'

Haar stem stierf weg, maar mijn overmatig actieve verbeelding nam het meteen over. Kate was erbij geweest toen Baxter J.B. vanaf het balkon van de bibliotheek aanspoorde toen hij op zijn kop uit dat vaatje dronk. Als hij een dvd vol met beelden van J.B. had, dan kon je die geniale eersteklassers niet kwalijk nemen dat ze de puzzelstukjes in elkaar probeerden te passen, toch?

'En waar is die dvd nu?' vroeg ik.

Kate schudde haar hoofd en snoot haar neus. Verder wist ze niets.

Het was hoog tijd voor een betrouwbaardere bron van informatie. Ik ging op een stoel staan om van bovenaf beter zicht over de zaal te hebben. Met al die groepjes leerlingen in rouw hutjemutje bij elkaar leek de aula wel een bijeenkomst van heksen.

Eindelijk zag ik Tracy en haar volgelingen, helemaal achterin in de hoek. Ze stonden zo dicht om iemand heen dat ik niet goed kon zien... Mike. Prima, twee vliegen, één klap. Ik sprong van de stoel en wilde al via de kortste weg naar hen toe lopen. Toen hoorde ik echter de beruchte driedubbele hamerslag van directeur Glass. Hij vroeg onze aandacht.

Ik weet dat op middelbare scholen wel vaker grootheidswaanzin voorkomt, maar meestal vooral bij quarterbacks die aan zelfoverschatting lijden, en niet bij de staf. Maar nadat onze vorige directeur was weggestuurd en huisarrest had gekregen, was Palmetto gezegend met zo'n tijdelijke kracht die er altijd van had gedroomd om nog eens opperrechter te worden, maar die na – wat zal het geweest zijn? – de vijfde keer voor het examen gezakt te zijn, die droom in duigen had zien vallen.

Toen directeur Glass in zijn tweedjasje en met zijn toupet op het podium betrad, zag je meteen dat voor hem het met een hamer de baas spelen over een stelletje schoolkinderen zijn bescheiden manier was om de tekortkomingen in zijn leven te verwerken.

'Iedereen zitten,' bulderde hij in de microfoon, en hij roffelde met de hamer tot iedereen zijn geroddel minstens tot fluistertoon had laten zakken. Ik was nog zeker vijf rijen van Mike en Tracy verwijderd. Te ver. Ik móést bij hen zien te komen voor de bijeenkomst van start ging.

'Ik zou maar een stoel zoeken.'

Juffrouw Cafiero dook uit het niets naast me op om me wederom te dwarsbomen. Ik begon in rap tempo mijn geduld met deze dame te verliezen, maar toen ik me afvroeg hoe groot de kans was dat ik met twee ongeschonden oorlellen langs haar heen zou komen, gaf ik het maar op en liet ik me op de dichtstbijzijnde stoel vallen.

Links van me zat June Rattler (van de onvergetelijke poster voor de Palmetto-verkiezing, waarop ze de tuba blies) en rechts van me zat Ari Ang (de Ang van het mysterieuze groene bekerglas). Gatver. Qua roddelkwaliteit had ik geen minderwaardiger team kunnen samenstellen.

'Dit weekend heeft zich een verschrikkelijk drama voorgedaan, zoals sommigen van jullie misschien al weten,' begon directeur Glass, en hij zwaaide met de hamer met zoiets van 'dit kan wel eens heel lang gaan duren'.

De meest doorzichtige speech ter wereld over de onschendbaarheid van het leven was al dertien minuten bezig, en ik was aan het eind van mijn toch al gehavende Latijn. Iedereen wist dat de directie van Palmetto (ook wel de 'vissenkom' genoemd, vanwege de glazen wanden rond hun groepje kantoorruimtes) J.B. altijd alleen maar als een nagel aan hun collectieve doodskist had beschouwd.

Als directeur Glass ook maar iets geweten had over de school die hij 'bestuurde', zou hij geweten hebben dat Palmetto een school was die zichzelf voedde, reinigde en genas op basis van de therapeutische krachten van de geruchtenmolen. Als we het ongeluk van J.B. zouden moeten verwerken, dan zou dat fluisterend in hoekjes op de gang gebeuren, en niet onder het luide gedreun van de hamer van Glass.

'Tot slot,' ging hij monotoon verder, 'wil ik benadrukken dat het heel belangrijk is dat wij met ons dagelijks leven verdergaan.' Inmiddels moest hij zijn stem verheffen om boven het geroezemoes uit te komen van de leerlingen die vonden dat ze hun tas alvast konden pakken.

'Daarom wil ik jullie eraan helpen herinneren dat de voedingsbeurs vandaag tussen de middag nog steeds doorgaat.' Hij verhief zijn stem nog meer, en terwijl de zaal al begon leeg te stromen, roffelde hij met zijn hamer en schreeuwde: 'En vergeet niet om vandaag voor de Palmetto-prins en -prinses te stemmen.

Het verlies van Justin Balmer heeft ons diep geraakt, maar het leven op school gaat gewoon verder.'

Dit laatste beetje advies was tot een bijna lege aula gericht. En dat was misschien maar goed ook – hoewel de Palmetto-verkiezing en de dood van J.B. in mijn hoofd griezelig met elkaar vervlochten waren, zat ik er nou ook weer niet echt op te wachten dat de rest van de school dat verband ook legde.

Toen ik weer in de bomvolle gang stond, rende ik weg om Mike te zoeken.

'Gelukkig,' zei ik, en ik vlijde me in zijn armen. 'Wat heeft Tracy je verteld?' vroeg ik meteen.

Wauw. Dat was niet het eerste wat ik had willen zeggen.

'Ik bedoel: hoe gaat het?'

Mike keek me bevreemd aan.

'Heb je mijn sms'jes niet ontvangen?' vroeg hij. 'We moeten praten.'

Kut. Ik deed mijn ogen dicht. Sinds het tweede sms'je van mijn vader, de dag ervoor, had ik al mijn sms'jes ongezien gewist.

'Het spijt me,' zei ik, en ik drukte mijn gezicht tegen zijn borst. 'Mijn telefoon... doet vreemd. Ik heb niks...'

Toen Mike zijn hand op mijn schouder legde, hield ik op met stamelen.

'Nat,' zei hij. Op dat moment merkte ik pas dat hij beefde.

Maar Mike kon beter dan wie ook op school bankdrukken. Hij had drie footballrecords gebroken. In al die jaren dat wij samen horrorfilms hadden gekeken, had ik hem nog nooit zien schrikken. Als mijn leven ervan af zou hebben gehangen, zou ik gezworen hebben dat Mike King niet eens wist hoe dat moest, beven. Maar nu bibberde zijn donkerblauwe trui en liet ik mijn hoofd daar liggen, alsof ik zijn paniek op een of andere manier in me kon opzuigen. Ik tilde mijn hoofd op en probeerde naar zijn bruine ogen te glimlachen. Toen pakte ik zijn brede, sterke handen vast en drukte ze tegen mijn hart.

'Liefje,' zei ik, 'kijk me aan. Hou me vast. Luister naar me. We weten niet eens of wat er gebeurd is wel onze schuld was.'

Mike slikte moeizaam en schudde zijn hoofd. Ik hield zijn kin tussen twee vingers vast en fluisterde: 'We moeten ons goed houden, in elk geval tot we meer weten. Ik weet dat we nu veel voor onze kiezen krijgen. Zodra we de verkiezing gewonnen hebben, moeten we ons op de kroningstoespraak concentreren. We moeten alle leerlingen bedanken en...'

'Kroning? Ben je niet goed bij je hoofd of zo? Die toespraak is wel het laatste waar wij ons mee bezig moeten houden,' zei Mike met opeengeklemde kaken.

'Nat, ik trek het niet meer.'

'De kroningstoespraak is helemaal niet het laatste waar wij ons mee bezig moeten houden,' zei ik verontwaardigd, zo zacht ik kon. 'Begrijp je het dan niet? Het is belangrijker dan ooit dat we doen alsof alles koek en ei is.'

Mike keek de gang rond. 'We moeten het er hier niet over hebben.'

Ik zag dat hij naar de kast van de conciërge achter ons keek; hij knikte even snel, zoals altijd als hij een impulsieve beslissing nam. Hij deed de deur open en trok me mee naar binnen.

Maar... we gingen anders altijd naar buiten als we wilden praten, onder de tribunes of naar onze geheime waterval. We doken geen vochtige conciërgekasten in, met knipperende uitgang-lichtjes en lege prullenmanden. Alles aan dit moment was helemaal verkeerd.

'Wat is er gebeurd toen ik in de auto zat?' vroeg Mike, terwijl hij de deur dichtdeed.

'Niets...'

'Nat,' onderbrak hij me.

'Het kan zijn dat ik hem losjes aan die boom heb vastgebonden.'

Mike drukte zijn voorhoofd tegen de muur, van mij afgewend.

'Heb je hem iets gegeven? Drugs of zo?'

'Natuurlijk niet,' zei ik. 'Waar zie je me voor aan?' Ik schoot in de verdediging. 'Ik heb zelfs pillen van hem áfgenomen. Hij mag me wel bedanken dat hij, toen de politie hem vond, clean was.'

Mike draaide zich als gestoken om.

'Wat heb je van hem afgepakt?'

'Ik weet niet,' zei ik schouderophalend. 'Wat er in zijn zak zat. Ik heb het in jouw jasje gestopt. Ik had het koud. Ik ben het verder vergeten. Ik bedoel, ik heb je jasje hier...'

Voor ik zelfs maar de kans had gekregen om mijn rugzak helemaal open te ritsen, had Mike zijn jasje er al uit gegrist en doorzocht hij de zakken. Toen hij het oranje flesje eruit trok, keek hij me met grote ogen aan.

'Wat is er?' vroeg ik – alsof ik door me van de domme te houden mijn fout ongedaan kon maken.

Mike ging onder het knipperende rode licht op zijn hurken zitten om het etiket goed te kunnen bekijken.

'Trileptal,' las hij langzaam. 'Gebruik: ter verlichting van zenuwschade en ter voorkoming van epileptische aanvallen. Elke zes uur één pil.' Hij kneep zijn ogen tot spleetjes om de kleine lettertjes te kunnen lezen. 'Bij overgeslagen dosering arts raadplegen.'

'Ik dacht dat het gelukspilletjes waren,' stamelde ik. 'Ik dacht dat hij ze toch niet zou missen.'

Mike stopte zijn jasje in zijn rugzak en keek me boos aan. Toen stopte hij het flesje in mijn zweterige, bevende hand.

Met een stem zo zacht als ik nog nooit eerder van hem had gehoord zei hij: 'Zorg dat je die pillen kwijtraakt.'

9 DE VRUCHTELOZE KROON

'Nat, ik zweer het, als je niet stil blijft zitten, krijg ik die wimper er nooit van z'n leven op, en dan zie je er helemaal scheef uit.'

Hoe was ik hier verzeild geraakt?

Ik zat op een rieten kruk voor de met allemaal peertjes verlichte bruidskaptafel. De perzikkleurige dameskleedkamer van de Scot's Glen Golf en Country Club stond vol met allemaal hofdames van school. Amy Jane stond rechts van me te wachten tot ze de laatste van een doosje met twintig losse nepwimpers in mijn buitenste ooghoeken kon opplakken. Jenny stond over me heen gebogen, met haar keramische krultang in de aanslag. Achter ons klonk het gekakel van hulpjes uit de onderbouw, die op reusachtige vloerkussens hun nagels lagen te polijsten en mij met hun met vloeibare eyeliner omrande ogen smeekten om hun ook iets te doen te geven.

Hier had ik dus al die tijd op gewacht. Ware het niet...

Het was woensdagmiddag, vlak voor de kroningsceremonie van de Palmettoprins en -prinses. Op dinsdagochtend, nog vóór de stemming, had de hele school al geweten dat het een uitgemaakte zaak was, maar aangezien ze ter nagedachtenis J.B.'s naam op het kiesformulier hadden laten staan, wachtten ze tot na de officiële rouwdag met het bekendmaken van onze overwinning. Zelfs toen was het pas officieel toen directeur Glass ons gisteren in zijn kantoor liet komen om ons met zijn sombere bravoure het nieuws te vertellen.

'Nu alleen morgen van jullie allebei nog even een korte speech waarin je de titel aanvaardt,' zei hij, terwijl hij langs ons heen keek alsof hij het ergens van voorlas. 'Vergeet niet dat het gala pas over tien dagen is, dus ik hoop dat jullie zo goed willen zijn om de feestteugels nog even in te houden. Morgen wordt een kleine familievriendelijke bijeenkomst.'

Hij trok een blikje cola open en verdeelde die over drie bekertjes, alsof hij zijn kruistocht tegen drankmisbruik nog eens wilde benadrukken.

'Op de prins en de prinses,' zei hij.

'Gezondheid,' zei ik, terwijl ik mijn bekertje hief en directeur Glass bleef aankijken, zodat ik niet wist of Mikes hand beefde of niet.

'Zo,' zei Amy Jane, en ze deed een stap achteruit om haar meesterwerk te bekijken. Ze hield een spiegel voor mijn neus, zodat ik het zelf ook kon zien. 'Je bent nog mooier dan een bloem.'

'En dodelijker dan een slang.'

Ik draaide me om. De spiegel viel uit mijn hand en viel kapot op de grond.

'Wie zei dat?' siste ik.

Heel even zei niemand een woord. Toen liet Darla Duke zich berouwvol op haar knieën zakken en sloeg haar handen ineen.

'Het was niet, echt niet...' stamelde ze. 'Dat zei mijn oma altijd: "Zorg dat je eruitziet als een bloem, gedraag je als een slang", of iets in die trant. Daar bedoelde ze iets goeds mee.'

De woorden buitelden uit haar mond. Leugens. Leugens. Leugens. Zinloos schouderophalen en leugens.

'Dat betekent dat je weet hoe je je zin moet krijgen,' rebbelde ze verder.

'Nou, ik hoef jullie vast niet te vertellen wat mijn oma altijd zei over kapotte spiegels,' mengde Jenny er zich kordaat in. 'Laat iemand dit even opruimen.'

Ik keek naar Darla en praatte heel zacht, zodat mijn stem gelijkmatig zou klinken. 'Ja, we willen natuurlijk niet dat iemand zich bezeert.'

Terwijl Darla en de drie andere Bambi's opsprongen om de glasscherven op te rapen, stond Kate op en boog zich naar me toe. We hadden elkaar al sinds maandag niet meer gesproken, toen ze me over Baxter had verteld.

'Gaat het?' vroeg ze. 'Je maakt een beetje een...'

'Ik ben gewoon zenuwachtig, meer niet,' zei ik. 'Over die speech.'

'Natuurlijk.' Ze knikte – terwijl Kate toch had gezien hoe ik het jaar daarvoor gehakt had gemaakt van de finalisten van het debattoernooi. Spreken in het openbaar was een van mijn sterkste kwaliteiten. Dat moest ook wel: als Palmetto-prinses was ik het komend jaar de officiële stem achter de microfoon bij elke bijeenkomst vóór een sportwedstrijd en bij elke prijsuitreiking.

Terwijl ik in de spiegel keek hoe Kate mijn haar borstelde, realiseerde ik me dat zij natuurlijk best wist dat ik helemaal niet zenuwachtig was over die speech. Ze wist dat ik mijn kroningsspeech vorig jaar omstreeks deze tijd al rond had, toen Marc Wise en Sadie Hoagland er met de kroon vandoor waren gegaan. Ik kende hem helemaal uit mijn hoofd, van ons campagnethema 'de trots van Charleston' tot aan iedereen die ik moest bedanken, en in welke volgorde. Niet die speech vrat aan me, maar de nachtmerrie die ik over dat ritje met het rijtuig had gehad.

'O ja,' zei Kate, waarmee ze mijn gedachten onderbrak, 'je moeder is nog langs geweest om dit te brengen.' Ze draaide de dop van een matte oranje lippenstift die mijn moeder me al had proberen aan te smeren sinds ze me voor het eerst helemaal had opgemaakt, voor het pianorecital in groep zeven. Ik huiverde.

'Dat dacht ik al,' zei Kate, terwijl ze een veel minder angstaanjagende kleur glinsterend roze opendraaide. Ze liet me de naam onder op het omhulsel zien. 'Zie je dat?' Ze wees. De kleur heette Prinses.

Maar terwijl ze de lippenstift op mijn lippen aanbracht en me de tissue toestak zodat ik kon deppen, kon ik alleen maar aan de lippenstift denken die ik J.B. op zijn mond had gesmeerd.

Mijn bloed stolde

De lippenstift. De vastgebonden polsen. Het flesje met pillen.

'Het rijtuig!' riepen de Bambi's. Ze renden allemaal naar het raam. 'Het rijtuig is er! Buiten!'

'Zeg alsjeblieft dat je die massageolie met vanillegeur bij je hebt die ik je aangeraden heb,' zei Amy Jane, en ze kwam achter me staan om nog wat haarlak op mijn opgestoken haar te spuiten.

Maar in de beelden die ik uit mijn gedachten probeerde te weren was geen sprake van massageolie. Alleen J.B.'s blauwe lippen in het rijtuig en de ijzige kou die ik gevoeld had toen hij in mijn droom zijn ogen had dichtgedaan.

De plannen zijn gewijzigd, had hij gezegd.

Ik moest naar buiten, naar het echte rijtuig, om mezelf te bewijzen dat het maar een nachtmerrie was geweest – of dat in elk geval dát deel maar een nachtmerrie was geweest. Ik moest Mike de baas zijn en mijn paranoia inzake J.B. zien te doorbreken. Maar toen ik opstond, net op het moment dat ik moest laten zien dat ik sterk was, stond ik te wankelen op mijn sling-backs en zeeg weer neer op de stoel voor de kaptafel.

'Jezus Nat, je ziet lijkbleek. Nog meer rouge!' riep Amy Jane naar haar hulptroepen. 'Wat is er, liefje? Vertel het ons maar.'

'Ik ben vergeten ze kwijt te raken,' mompelde ik, terwijl ik aan de pillen dacht die nog steeds in het binnenvak van mijn rugzak zaten. 'Mike zei dat ik ze moest kwijtraken, en dat heb ik niet gedaan.'

'Waar heeft ze het over?' fluisterde Jenny tegen Amy Jane. 'Ik snap er niks van.'

'O mijn god,' zei Amy Jane. 'Waren Mike en jij van plan om in het rijtuig "opnieuw maagd" te spelen? Kinky zeg.'

Voor ik mijn verspreking over de pillen kon goedmaken, hadden mijn twee hofdames me al overeind geholpen. Een paar minuten later begeleidden ze me naar buiten, de deur door en naar het rijtuig toe. Ik zag dat Kate niet meeging.

'Luister, kalm blijven,' zei Jenny, terwijl ze me recht aankeek. 'Mike en jij zijn het helemaal. Jullie hoeven geen schoolrecords te breken. Gewoon jezelf zijn,' zei ze.

Amy Jane stopte iets in mijn hand. Het was van dezelfde grootte en vorm als het flesje pillen, maar toen ik omlaagkeek...

'Ik wist wel dat je de massageolie zou vergeten,' zei ze lachend. 'Ik heb altijd een extra flesje bij me.'

Ik liep langzaam naar het rijtuig toe. Het was bij lange na niet zo blits als het rijtuig in mijn droom, en dat was een enorme opluchting. Het was hetzelfde oude houten, beschilderde rijtuig dat ze al zo lang gebruikten als er Palmettoprinsessen waren. De koetsier zag er ook vrij normaal uit, met een verschoten spijkerbroek en een zwart jasje. Maar toen hij de deur opendeed en een hand uitstak om me omhoog te helpen, stonden er allemaal zorgrimpels in zijn voorhoofd.

'Het spijt me, dame, maar mij is gevraagd het u te vertellen.' Hij frunnikte wat aan de knopen van zijn jasje. 'Hij komt niet.'

Wát? Ik stak mijn hoofd in het met weelderig rood fluweel beklede rijtuig. Er zat niemand.

Ik keek achterom naar de gezichten van de meisjes, die zich giechelig voor het raam verdrongen. Ik had geen keus. Ik zwaaide terug alsof er niets aan de hand was.

'Rijden maar,' zei ik met opeengeklemde kaken tegen de koetsier.

Het was een veel te zonnige dag op de golfbaan, en ik kwam er maar niet achter hoe ik de gordijntjes van het rijtuig moest dichttrekken. Tegen de tijd dat we de veertiende hole waren gepasseerd, had ik al mijn nagels eraf gebeten en kwam de stoom mijn oren uit. Ik was zo stom geweest om mijn Juicy Fruit in mijn tas te laten zitten – wat maar weer eens aantoonde hoe ver heen ik was. Ik had niets wat me een beetje kon helpen kalmeren nu Mike me had laten zitten. Hoe kón hij? Ten overstaan van de hele school en al die families? Ik kon hem wel vermoorden...

Er klopte iemand op de deur van het rijtuig. Ik schoof helemaal tegen het raam aan... en toen zag ik hem. Mike rende met het rijtuig mee.

'Stop de koets!' schreeuwde ik.

Voor de paarden zelfs maar tot een handgalop waren overgegaan, gooide Mike de deur open en klom naar binnen. 'Het spijt me ontzettend,' zei hij, en hij boog zich naar me toe om me een kus te geven.

Ik was nog zo woedend en verbijsterd dat ik roerloos bleef zitten.

'Ik heb geprobeerd je te bellen. Ik wist dat je door het lint zou gaan. Ik kon gewoon... Ik had wat tijd nodig om na te denken over hoe ik dit verder moet aanpakken, nu...' Hij pakte mijn handen.

Ik maakte een wuivend handgebaar om hem het zwijgen op te leggen. 'Straks slijmen, nu concentreren. We hebben precies drie minuten de tijd om in de koninklijke stemming te komen.' Ik gaf Mike een uitdraai van de kroningsspeech. 'Jouw alinea's zijn blauw, de mijne roze, oké?'

'Eh...' zei Mike. 'Eigenlijk...'

'We zijn er!' riep ik, terwijl ik naar buiten keek en het met wingerd begroeide hekwerk zag dat de ingang markeerde. Voor we het wisten deed de koetsier de deur open. Toen hij me eruit hielp, floot hij zachtjes.

'Ik rijd dit brik al heel wat jaartjes naar de kroning,' zei de koetsier zacht. 'Maar die stunt die jouw vent vandaag uitgehaald heeft, prinses, heb ik nog nooit eerder meegemaakt. Ik zou hem er niet zomaar mee laten wegkomen.'

Ik keek naar Mike. 'Nee, dat doe ik zeker niet.'

Op het gazon begon een gapend strijkje te spelen, maar dat werd al snel overstemd door het gejuich van de menigte, die onze namen riep en trouw naar ons zwaaide. Mike zei niets, maar pakte alleen mijn hand. We liepen over het goudkleurige tapijt naar het podium.

Het grappige was dat alles er precies zo uitzag als ik me had voorgesteld, precies zoals ik het al die jaren in gedachten had gepland. Daar had je mijn moeder, in haar strakke jurk met een print van gele jasmijn, op hoge hakken, met tranen in haar ogen, hand in hand met de Zak. Aan de andere kant van het podium had je de familie King, die met gesloten mond glimlachte, gekleed in dure zijden kleren, in bij elkaar passende gedempte tinten. De gewezen prinsen en prinsessen van Palmetto flankeerden het podium aan beide kanten, met onder hen ook Phillip jr. en Isabelle. Al onze vrienden waren er, oogverblindend mooi gekleed, met grote verwachtingsvolle ogen, benieuwd om onze speech te horen – en tijdens de receptie de verhalen over onze seksavonturen tijdens het ritje met het rijtuig.

Het enige onderdeel van het visioen dat niet precies zo was als ik het me had voorgesteld waren wijzelf: de prins en prinses van Palmetto. We liepen hand in hand, maar ik had het gevoel dat Mike en ik mijlenver van elkaar verwijderd waren.

Op het podium boog hij zich naar me toe om me een kus op mijn wang te geven. Zijn lippen voelden droog en ruw. Ik deed mijn ogen dicht en probeerde van het beleefde applaus van het publiek te genieten.

'Dank u wel,' zei Mike toen het was weggestorven. Hij schraapte zijn keel en keek omlaag naar de speech die ik voor hem had uitgeprint. Toen schoof hij die in de binnenzak van zijn jasje en haalde een servet tevoorschijn waarvan alles op gekrabbeld stond. Ik stak mijn hand uit om hem tegen te houden, maar die pakte hij zo hard vast dat ik, als ik me bewogen had, een scène veroorzaakt zou hebben.

'Jullie hebben deze speeches bij het aanvaarden van de titel al heel vaak gehoord,' begon Mike. 'Sommigen van jullie,' zei hij, met een gebaar naar de gewezen prinsen en prinsessen van Palmetto, 'hebben ze zelfs zelf uitgesproken. Dus jullie kennen het klappen van de zweep en jullie weten ook hoe dankbaar en blij Natalie en ik zijn dat deze eer ons ten deel is gevallen.' Hij keek de menigte langs en kneep nog harder in mijn hand. 'Maar vandaag wil ik het over iets anders hebben, want het zou niet goed zijn om niet even stil te staan bij het overlijden van een goede vriend en geweldig mens.'

Niet doen, Mike, niet doen.

'De man die prins had moeten zijn,' zei hij.

Niet waar.

'Dus in plaats van de geijkte speech...'

Dit kan niet waar zijn!

'Zouden Natalie en ik graag om een ogenblik stilte willen vragen, waarin we gezamenlijk kunnen bidden, en dan gaan we meteen verder met de receptie. We zien jullie morgen allemaal op de begrafenis.'

Ik deed mijn mond open om ook iets te zeggen, maar toen ik naar Mike keek, wist ik: al die voorbereidingen voor de Palmetto-verkiezing waren voor niets geweest.

10 DIEPE ZWARTE VERLANGENS

'Stof zijt gij en tot stof zult gij wederkeren.'

Donderdagmiddag, terwijl ik nog rondliep met het zeer over mijn gestolen speech tijdens de kroningsplechtigheid, stond ik op de begraafplaats achter de kerk schouder aan brede schouder met Mike. We keken hoe de doodgravers J.B.'s lichaam in de grond lieten zakken.

'Telkens wanneer we met zo'n tragisch sterfgeval te maken hebben,' zei de uitzonderlijk sombere dominee Clover door zijn ruis veroorzakende, aan zijn kleding vastgeklemde microfoon, 'wordt de gemeenschap, heel letterlijk, overspoeld door een toeval van verdriet.'

Bij het woord 'toeval' vloog mijn hoofd omhoog. De hele begrafenis was tot dan toe heel saai en algemeen geweest. Clover stond erom bekend dat hij tijdens zijn preken altijd foute woordgrapjes maakte. Verwees hij hiermee echt naar J.B.'s epileptische aandoening?

Toen vroeg ik me af of er naast Justins directe familie – en nu ook naast Mike en mij – verder nog iemand op de hoogte was van die aandoening? Ik keek om me heen naar de met ineengeslagen handen naar beneden kijkende kerkgangers, maar zag geen vonkje van herkenning op hun gezichten. Ik dacht weer aan Steph Merritt, die haar neus in de zakdoek had gesnoten en iets over zijn pillen had gezegd, maar het was duidelijk dat zij het fijne er ook niet van wist. Ik begreep niet wat dat nou was met de dood, waardoor al deze mensen zaten te snotteren op de begrafenis van iemand die ze niet eens goed gekend hadden.

Mijn oog viel op Tommy, J.B.'s oudere broer, die zijn armen om zijn huilende moeder heen geslagen hield. Heel even dacht ik dat hij boos keek vanwege de woordkeus van de dominee, maar toen begon het weer te regenen en kwam er een zee aan zwarte paraplu's rond het graf omhoog. De muffe geur van nat nylon dreef over alles heen, en behalve de reusachtige witte torenspits die als een herkenningspunt voor ons opsteeg was er niet veel te zien.

Voor de begrafenis was ik naar de wc's gegaan om mijn paardenstaart te borstelen, en daar had ik drie Bambi's zien staan, die op een kluitje stonden te huilen. Dit waren dezelfde meisjes die de dag ervoor nog van plaatsvervangende opwinding hadden staan beven terwijl ze toekeken hoe ik naar het door paarden getrokken rijtuig werd begeleid.

Ik had altijd al geweten dat meisjes uit het zuiden soms een slechte naam hadden omdat ze zo suikerzoet konden doen, maar Palmetto had wel een patent kunnen aanvragen voor een heel eigen soort kunstmatigheid. Deze meisjes veranderden sneller van houding dan dat ze zich konden omkleden, zonder blikken of blozen. Alles hing af van de gelegenheid en van degene op wie ze indruk wilden maken.

Op de wc's had ik met mijn ogen staan rollen toen ik hen zag, maar dat kwam voornamelijk omdat ik, hoewel ik wel wilde, me er op de een of andere manier niet toe kon zetten om zelf om J.B. te huilen. Ik kon mezelf de laatste tijd sowieso bijna nergens toe zetten. Ik kon dat sms'je van mijn vader, dat aan me knaagde en nog steeds in de inbox van mijn hoofd stond, niet beantwoorden. Ik kon niet eens van mijn kroning genieten – hoewel dat de schuld van Mike was. Maar het meest verontrustende was dat ik mezelf er nog steeds niet toe kon zetten om dat flesje pillen kwijt te spelen.

Niet dat ik van plan was ze door te slikken. Ze vormden alleen een belangrijke herinnering aan het feit dat wij hier door mijn toedoen in verzeild waren geraakt en dat ik ons er dus ook weer uit moest zien te krijgen.

Maar terwijl ik keek hoe de in het zwart geklede mannen de zwarte aarde op de zwarte kist schepten, en die steeds hoger optastten om het grote zwarte gat te dichten, kreeg ik een claustrofobisch gevoel, bijna alsof ik samen met J.B. in die kist lag. Mijn paraplu zweefde als een kooi boven mijn hoofd. De kriebelende hals van mijn jurk zat zo strak om mijn keel dat ik amper kon slikken. Ik stak mijn hoofd onder de paraplu uit, maar de motregen en de mist hingen zo laag boven de grond dat ik het gevoel kreeg dat zelfs de hemel op me neer zou storten. Ik kreeg bijna geen adem door de regen en mijn borst zwoegde op en neer.

Mike legde zijn arm om mijn schouder – nog meer verstikking – en leidde me terug de kerk in. Het was voorbij. Ik zag mijn moeder vanuit de deuropening zwaaien. Ik moest er niet aan denken dat ik naar haar moest luisteren terwijl zij me vroeg of J.B. in de open kist wel een normale kleur had gehad.

'Ik krijg geen adem,' zei ik tegen Mike. 'Ik heb frisse lucht nodig.'

Hij pakte mijn hand. 'Oké, dan gaan we een stukje lopen.'

'Ik ben nog steeds kwaad op je,' zei ik.

Hij reageerde niet. We ploeterden over de zeiknatte begraafplaats, langs de cipressen met hun deinende grijze stammen, weg van de melodramatische menigte. Even later hoorde ik alleen nog de ruis van de regen. Ik wist waar Mike heen ging. Zijn voeten brachten hem er als vanzelf naartoe.

We bleven staan voor de rij graven van zijn familie. Ik liep achter Mike aan de graftombe in waar opa en oma King begraven lagen. Ik was er één keer eerder geweest, twee zomers geleden, toen het vijf jaar geleden was dat zijn opa was overleden. Toen had ik de graftombe al eng gevonden, terwijl er toen allemaal levende mensen waren geweest, midden op een warme zonnige dag.

Nu doken we samen als twee zombies onder de lage betonnen doorgang door. We gingen op de marmeren bank zitten. Ik kreeg de muffe geur van Spaans mos in mijn neus en ik moest hoesten. Als ik niet meer naar de donder buiten had geluisterd en als ik naar de grote letters KING boven de ingang van de graftombe had gekeken was ik misschien bang geweest. Mike draaide met zijn hand rondjes over mijn rug. Het was moeilijk om hier binnen boos op hem te blijven.

Sinds we bij de begrafenis weg waren gegaan hadden we geen woord met elkaar gesproken. We hadden zelfs bijna niks meer tegen elkaar gezegd sinds de grote speech die Mike gisteren had afgestoken, op een paar beleefde opmerkingen na, bedoeld voor openbare consumptie op de receptie. Nu ik erover nadacht hadden we elkaar eigenlijk... sinds J.B. niet meer gesproken.

Ik had vriendinnen die zich druk maakten als er tijdens een gesprek met een jongen over de telefoon of tijdens een etentje een stilte viel. Ik had altijd medelijden met ze gehad, omdat ik vond dat ze niet begrepen waar het om ging. Mike en ik hadden nooit ongemakkelijke stiltes; wij hadden juist intieme stiltes. Altijd als ik vertelde hoe heerlijk ik het vond om bij hem te zijn en gewoon mijn mond te houden, keek Kate me aan alsof ik krankzinnig geworden was. Maar misschien was deze stilte ook een beetje te veel van het goede, zelfs voor onze doen.

Ik deed mijn mond open, ervan overtuigd dat ik vast iets interessants te zeggen zou hebben, maar toen ik te lang zo bleef zitten, zei Mike: 'Ik wou dat deze regen alles kon wegspoelen wat wij gedaan hebben.'

'Maar dat kan niet.'

We klonken allebei als een robot.

'Justin is dood,' ging ik verder, en ik voelde hoe de impact van die drie verschrikkelijke woorden de graftombe vulde. 'Dat kunnen we nooit meer ongedaan maken.'

Het wemelde in mijn hoofd van de gedachten aan J.B.'s zelfingenomen gezicht, aan de opschepperige houding die hij altijd kreeg als hij glimlachte. Ik wilde niet meer aan hem denken, ik wilde die flitsen van zijn groene ogen niet meer zien. Daardoor begon ik me af te vragen wat Mike op dat moment dacht, maar niet zei.

Hij zuchtte, links van me. 'Misschien moeten we het eerlijk vertellen.'

'Wat?' fluisterde ik geschrokken, en ik draaide als gestoken mijn hoofd om.

Mike wreef in zijn ogen als een kind dat iemand vergeten is in bed te stoppen. Zijn schouders leken rond zijn borst in te zakken.

'Ik word hier helemaal gek van. Ik heb al vier nachten niet geslapen. Ze komen er vast achter wat we gedaan hebben.'

'Welnee,' zei ik, en ik draaide mijn hoofd weg, zodat ik niet hoefde te zien hoe kleintjes hij op dat moment leek.

'Ik heb mijn waterfles in zijn handen achtergelaten...'

Ik schudde mijn hoofd. 'Mike, elke jongen uit jouw jaar heeft precies dezelfde fles. En alle Bambi's vinden die zo cool dat ze er ook allemaal een kopen. Dat bewijsmateriaal stelt niks voor.'

'Maar er heeft vast iemand gezien dat wij met Balmer, die toen al zo ongeveer halfdood was, van het feest zijn weggegaan. Hoe denk je dat het overkomt als wij het geheim proberen te houden tot ze ons vinden? Laten we het gewoon eerlijk vertellen. We zeggen wel dat het nooit onze bedoeling is geweest dat de boel zo...'

'Nee.' Ik stond op en begon te ijsberen. In het beton was een vierkant uitgespaard waardoor je de kerk kon zien, en ik zag de begrafenisgangers terug naar de parkeerplaats lopen. Ze gingen allemaal terug naar hun stille huisje, waar de telefoonlijnen roodgloeiend zouden staan van hun roddels. Maar als wij eerlijk vertelden wat er gebeurd was, waar moest ik dan naartoe?

Naar mijn oude woonwagenkamp, vanwaar geen uitweg mogelijk was? Naar de ellende van vroeger? Ik kon de stank van rotte vis al bijna ruiken. Meisjes als ik kregen geen tweede kans. Hier moest ik het mee doen. Mijn lippen trilden en ik voelde dat mijn schouders begonnen te schokken.

Mike zuchtte en stak zijn hand naar me uit. 'Ik wil net zo min naar de gevangenis als jij, hoor.'

Wie had er iets over de gevangenis gezegd? Ik realiseerde me plotseling dat Mike geen flauw idee had van wat er in mijn hoofd omging. Ik legde mijn hand in de zijne.

'We moeten dit regelen, Mike. Dat moet gewoon.'

Hij keek naar me op. 'Hoe dan?'

'Te beginnen bij de bron van alle Palmetto-informatie,' zei ik, en ik moest mijn best doen om met mijn hoofd mijn tong bij te houden. 'Het geruchtencircuit. Wat hebben we tot nu toe gehoord?'

Mike haalde zijn schouders op en zuchtte. Hij had nooit veel met dat circuit op gehad. 'Iets over die film die Baxter Quinn op het feest heeft gemaakt.'

Ik sloeg met mijn hand tegen mijn voorhoofd. 'Je bent geniaal,' zei ik, en tot mijn verbazing moest ik ondanks onze benarde situatie lachen. 'Ze hebben de juiste man al voor ons gekozen. Hij is trouwens nog steeds niet boven water.'

'Wacht eens even... Bedoel je nou...' Mike schudde vol ongeloof zijn hoofd. 'Gaan we Baxter er de schuld van geven?'

'Waarom niet?' zei ik. Ik probeerde nonchalant te klinken, hoewel ik voelde dat mijn stem brak. 'Gewoon een paar aanwijzingen regelen.'

'Wacht even.' Mike liet mijn hand los en wreef over zijn voorhoofd, zoals hij altijd deed als hij voor een groot proefwerk zat te leren. 'Eerst doden we per ongeluk iemand. En nu wil je dat iemand anders in de schoenen schuiven?'

'Nee, nee, nee,' kirde ik, en ik stond op en ging tussen zijn benen staan. Ik maakte met mijn vingers langzaam rondjes over zijn slapen. 'Ik zou het niet echt in de schoenen schuiven willen noemen. Je hebt Baxter die avond gezien. Hij deelde links en rechts drugs uit. We hebben hem allebei horen zeggen dat iemand moest zorgen dat J.B. niks te drinken meer kreeg – en twintig minuten later stond hij op het balkon te juichen toen J.B. voor de tweede keer op zijn kop uit een vaatje dronk.'

'Ik weet niet, hoor,' zei Mike met een grijns. 'Baxter is geen heilige, maar hij is geen moordenaar.'

'We hoeven hem niet als moordenaar af te schilderen. We moeten alleen onze eigen naam zuiveren door de focus te verplaatsen. Kijk,' zei ik, en ik liet mijn voorhoofd zakken, zodat dat het zijne raakte, 'J.B. krijgen we er niet mee terug.'

Daar had je het weer. Het ijskoude gevoel dat ik telkens kreeg als ik echt over de dood van J.B. nadacht. Dit keer was dat gevoel zo sterk dat ik het bijna uitschreeuwde van de pijn. Maar toen keek ik naar Mikes gefronste voorhoofd – wat betekende dat de kans op overreding verkeken was. Ik sloeg mijn armen om me heen om de kou te verjagen en mezelf op de been te houden.

'Het enige wat we kunnen doen is onze reputatie als goodwill-ambassadeurs hooghouden, in deze moeilijke periode voor de school,' zei ik toen maar.

'Je zal wel gelijk hebben,' zei Mike met een knikje.

'Natuurlijk heb ik gelijk.'

'Alsof Baxter ooit naar de les komt. Als híj van school gestuurd wordt...' Hij maakte zijn zin niet af.

'Precies,' zei ik. 'We kunnen toch veel beter ons hoofd hooghouden en de politie iemand laten straffen die het toch al verdient om weggestuurd te worden? We mogen hier niet voor de gevangenis in gaan, Mike.' Ik legde mijn handen tegen mijn hart. 'Palmetto heeft zijn prins en prinses nu harder nodig dan ooit.'

'Nou,' zei Mike, terwijl hij even naar me glimlachte en me op zijn schoot trok, 'ik heb mijn prinses in elk geval hard nodig.'

Het leek wel eeuwen geleden dat we zo intiem waren geweest. Ik kon er niets aan doen: ik gaf me over aan zijn lippen en ik ontspande me, voor het eerst deze week.

'Er prikt iets tegen me aan, en eh... ik ben het niet zelf,' zei Mike, terwijl hij zich over mij heen op de marmerplaat vlijde. Hij wees naar mijn heup. Toen tot me doordrong wat hij van plan was, pakte ik zijn hand.

'Niet doen,' zei ik.

Hij wurmde zich los en stak zijn hand in de zijzak van mijn regenjas.

'Wat zit daarin?' vroeg hij snel.

Toen hij het flesje pillen van J.B. er uithaalde, vertrok zijn gezicht alsof hij iets smerigs gegeten had. 'Waarom heb je die nog steeds?'

'Ik weet het niet,' stamelde ik. Waarom kon ik Mike niet gewoon de waarheid vertellen? O ja, omdat die volkomen bizar was.

'Ik ook niet,' zei hij vol ongeloof. 'Ik dacht dat we hadden afgesproken dat jij die zou kwijtspelen.' Hij stond op en haalde zijn hand door zijn haar. 'Je doet alsof je precies weet wat er allemaal moet gebeuren, maar het belangrijkste bewijsmateriaal kun je niet verstoppen? Stel nou dat iemand je hiermee betrapt?'

'Ik kan het niet zomaar thuis weggooien,' zei ik. Mike wist maar al te goed dat mijn moeder, sinds ze het met de Zak deed en zich met het composteren van zijn tuinen bezighield, de hulp ons afval als een zwerver liet doorzoeken. Ik stak mijn hand naar de pillen uit. 'Ik zit gewoon te wachten tot ik een goede plek gevonden heb om ze weg te gooien. Ik beloof dat dat gebeurt.'

'Als we dit verkloten...'

Ik boog me naar voren en legde een hand tegen zijn mond.

'Hou je van me?' vroeg ik.

'Alsjeblieft zeg,' verzuchtte hij, en hij ging weer zitten.

'Hou je van me?' vroeg ik weer, en ik hield mijn adem in.

Mike keek op met zijn 'schijnt-de-zon-in-de-zomer?'-glimlach en zei: 'Ik ben net in de graftombe van mijn opa boven op je geklommen terwijl we een moord verborgen moeten houden,' zei hij, en hij gaf me een kus boven op mijn hoofd. 'Misschien ben ik wel helemaal gek van je – letterlijk.'

Ik werd overspoeld door opluchting. 'Dan kunnen we het niet verkloten,' zei ik. 'We moeten gewoon samen sterk blijven.' Ik ging weer bij hem op schoot zitten en sloeg mijn armen om zijn nek. 'Ik zal maandagochtend met Tracy praten. En... ik zal die pillen weggooien. Zorg jij dat je van de jongens Baxters dvd krijgt.'

Voor Mike de kans kreeg om weer zenuwachtig te gaan kijken, ging ik schrijlings op hem zitten en schortte mijn zwarte jurk tot aan mijn middel omhoog. Ik sloeg mijn benen om zijn bovenlichaam, waarbij ik zorgde dat het flesje pillen niet weer tussen ons in kwam, en ik boog me naar voren om hem in zijn oor te kunnen fluisteren.

'Je moet dit net zo graag willen als je mij wilt.'

Mike zuchtte in mijn haar. De warmte van zijn ademhaling in mijn hals voelde heel troostrijk.

'Oké, Nat,' kreunde hij zacht, 'we pakken Baxter.'

11 IN GEVECHT MET DE OCHTEND

Zondagochtend lag ik in mijn hemelbed, omringd door de restanten van een van de witte kussens-met-ruches-projecten van mijn moeder – en door de spoken van mijn van testosteron druipende verleden. Ik had J.B.'s epilepsiemedicijnen in mijn ene hand en mijn mobiele telefoon, met op het schermpje het derde onbeantwoorde sms'je van mijn vader, in mijn andere hand. Twee mannen van wie ik dacht mezelf verlost te hebben, twee bewijzen dat ik me heel erg vergist had. Ik keek van mijn ene hand naar de andere en voelde me door die twee volkomen gevangengehouden worden.

Als ik zo sterk was als ik Mike aanspoorde te zijn, kon ik deze mannen geen vrijkaart geven om mij uit mijn evenwicht te brengen. Nee. Ik moest hén uit hun evenwicht brengen.

Ik hield mezelf voor dat ik het voornemen om radiostilte in acht te nemen, dat ik ten aanzien van mijn vader had genomen toen hij met de noorderzon was vertrokken, alleen maar een beetje aanpaste, en ik drukte op het knopje voor een nieuw bericht. Ik moest hem het soort berichtje sturen dat ik indertijd niet had durven sturen, toen ik echt niet verder durfde te gaan dan die radiostilte.

Bespaar me die 'papa is weer thuis'-onzin en zeg wat je te zeggen hebt.

Ik probeerde me voor te stellen hoe hij hierop zou reageren, hoe de rimpels rond zijn zilvervisogen zouden verslappen, maar het ging er nu juist om dat ik niet aan hem dacht. Ik moest aan mezelf denken.

Verzenden.

Het duurde even voordat ik in de gaten had dat mijn hart helemaal niet tekeerging. Ik was kalm en beheerst. Oké. Dat was de eerste talisman, nu de volgende.

Mijn vader had me dwarsgezeten doordat ik hem daar de kans voor had gegeven. Nu J.B.'s kist nog maar net in de grond zat, kon ik alleen maar hopen dat ik hem ook zijn laatste rustplaats kon geven.

Ik had de hele week met dat medicijnflesje lopen frummelen, en ik denk dat mijn handpalmen wat zweteriger waren dan anders, want het etiket begon eraf te gaan. Ik trok aan de sticker en voor ik het wist had ik het hele etiket in mijn hand.

Ook dat nog. Had ik nou net het bewijsmateriaal verveelvoudigd? Of had ik het nu een stuk eenvoudiger gemaakt om het weg te gooien? Mijn moeder had beneden een papierversnipperaar (de beste vriendin van een vrouw die in scheiding ligt, zei ze altijd graag), maar ik kon niet riskeren dat ik haar tegen het lijf zou lopen. Ik kon beter mijn eigen papierversnipperaar zijn.

Ik ging snel naar de badkamer, boog me over de zalmkleurige toiletpot en scheurde het etiket in doorspoelbare stukjes. Ze vielen als veertjes in de pot, en al snel kon ik het woord anti-epilepsie niet meer lezen.

Ik had me de hele week lopen afvragen of iemand van Palmetto de informatie over J.B.'s ziekte zou lekken, maar de echte doodsoorzaak was zo te merken nog steeds een publiek mysterie. Dat verbaasde me niet. J.B.'s familie was wel heel erg geïnteresseerd in de klassieke zuidelijke façade waarbij alles perfect was, maar het leken me echt het soort mensen dat niet met zijn epileptische aanvallen te koop wilde lopen. Misschien deed ik, toen ik de wc doortrok, wel precies wat zij wilden.

Nu even over de pillen zelf. Ik hoefde ze alleen maar door te spoelen. Zodra de spoelbak volgelopen was, zou ik het flesje gewoon boven de pot omkeren en mezelf ervan verlossen.

Mijn pols hing boven de wc. Ik trilde... Oké, ik beefde nu op volle kracht.

Ik kon het niet.

Ik zeeg neer op de pot en nam mijn hoofd in mijn handen. De dag ervoor had ik geprobeerd om tegenover Mike kalm over te komen, maar nu ik alleen was kon ik waarschijnlijk nog steeds niet aanvaarden wat ik gedaan had. Deze pillen waren het enige wat ik nog van J.B. overhad, en misschien moest ik me er op een wat meer ceremoniële manier van ontdoen. Met een soort eerbetoon, in plaats van een wc. Of zoals de therapeut, naar wie ik van mijn moeder toe moest toen mijn vader ons in de steek had gelaten, altijd zei: het gaat erom dat je je eigen manier vindt om het af te sluiten. Wat voor vorm dat afsluiten precies moest hebben, daar had ik nog steeds geen flauw idee van.

'Natalie.'

Shit. Mijn moeder stak haar hoofd om de deur van mijn kamer. Binnen een paar tellen was ze zo dicht bij me dat ze kon zien wat ik in mijn hand hield. Ik stopte mijn handen en het flesje in de zak van mijn Palmetto-sweatshirt, en ik draaide me om.

'De Dukes zijn er. Pak je jas; we gaan,' zei ze, terwijl ze haar korte knalroze topje naar haar roze-met-geel geruite capribroek omlaagtrok.

Met een kreun wist ik het weer. Deze 'gezellige familiedag' met de Dukes zou helemaal super worden. De Zak had laatst nog verteld dat hij op zoek wilde naar een nieuw pand in de Cove – zoals andere mensen zeggen dat ze op zoek willen naar een nieuwe pet – en nu moesten we dus allemaal mee op huizenjacht.

Voor mijn moeder ging het er die dag om dat ze haar kaarten goed uitspeelde, in de hoop hem iets flinks te ontfutselen – wat, voor zover ik van de Zak had begrepen, in de slaapkamer waarschijnlijk niet al te vaak gebeurde. Ik zou die dag in stilte moeten lijden.

Maar voor mijn moeder me mijn kamer uit kon loodsen, werd er bedeesd op de deur geklopt. Darla stak haar muizenkopje naar binnen.

'Eh... Nat,' zei ze met zenuwachtige blik, 'is het goed als ik... Ik heb yoghurt op mijn shirt gemorst.' Ze trok haar babyblauwe t-shirt van haar bovenlichaam af om te bewijzen dat dat van die gemorste yoghurt echt waar was. 'Mijn vader dacht dat jij misschien...'

'Natuurlijk, je kunt wel iets van Natalie lenen,' bemoeide mijn moeder zich ermee, en ze legde een hand op Darla's schouder, alsof dit voor iedereen een gelukkig moment van contact was. 'Toch, Nat?'

Darla's mond stond in een niet-aflatende gaap, waardoor ze wel zo'n vis leek, waarvan er op de werf van Cawdor altijd een hele berg ligt. Niet echt het type dat ik mijn garderobe wilde laten showen als we op klaarlichte dag door de Cove reden. Iets sjofelers leek me sowieso meer haar stijl.

'Hier,' zei ik, en ik maakte aanstalten om mijn Palmetto-sweatshirt uit te trekken. 'Je mag deze wel aan.' Het zachte gerammel van het etiketloze flesje in mijn zak zorgde ervoor dat ik met de capuchon half over mijn hoofd stokstijf bleef staan.

'Weet je wat,' zei ik snel, 'kies zelf maar iets uit mijn kast.'

Mijn moeder trok een wenkbrauw naar me op. 'Hou jij dat aan? Als we op pad gaan? Maar je hebt zo'n beeldschoon figuur.' Ze deed een stap naar voren om me uit het oude sweatshirt te helpen, maar ik trok me geschrokken terug.

'Dat is een voorschrift voor de Palmetto-prinses,' loog ik. 'Ik moet minstens drie keer per week de schoolspirit uitdragen.' Ik haalde mijn schouders op. 'Echt zoiets wat ze je pas vertellen als je de kroon op je hoofd hebt.'

'O,' zei mijn moeder met een knikje. 'In dat geval...'

Ze draaide zich om naar Darla, die zich in de tussentijd in het felgroene mini-zomerjurkje had gewurmd dat ik drie donderdagen geleden naar onze grote aanmoedigingsbijeenkomst had gedragen. Het was mijn topjurk. Ik kreeg er nog steeds complimentjes over, en nu ging Darla haar dubbel-D-tieten erin proppen? Ik keek met tot spleetjes geknepen ogen naar haar, maar ze glimlachte alleen maar onnozel, met open mond.

'Mag het echt?' vroeg ze.

Mijn toekomstige stiefzus had me in een garderobehoudgreep. Ik voelde dat mijn moeder haar adem inhield, benieuwd of ik het goed zou vinden.

'Natuurlijk,' zei ik toen maar heel lief. 'Al staat hij echt een stuk mooier met hoge hakken eronder. Ik zou je graag mijn sandaaltjes van slangenleer willen lenen, maar ik denk dat je voeten een paar maten groter zijn dan de mijne. Jammer joh.'

De Zak reed in het bloemenbusje onze wijk uit en ik zakte in elkaar op mijn stoel. Weer met z'n allen in het bloemenbusje.

'Darla was helemaal kapot van dat nieuws op school,' zei hij. 'Ze is een redactioneel bericht voor de schoolkrant aan het schrijven. Hoe ga jij ermee om, Nat?'

De enorme snor van de Zak paste amper in de achteruitkijkspiegel, en ik voelde dat hij probeerde om me via die spiegel aan te kijken. Maar ik paste ervoor om hem mijn blik van het konijn in de koplampen te laten zien. Ik rilde, trok mijn sweatshirt dichter om me heen en deed net alsof ik helemaal opging in het verkeer op de weg.

'O, het is gewoon verschrikkelijk,' viel mijn moeder voor me in. Ze draaide zich op haar stoel om en legde haar hand op mijn knie. 'Natalie en Justin waren altijd hartstikke goede vrienden.'

'O ja?' vroeg Darla, terwijl ze haar ogen losrukte van de voorgevel van mijn moeder, die over de bovenrand van haar topje heen bloesde, om mij aan te kunnen kijken. Haar eigen voorgevel werd door de conservatieve buste van mijn jurk hooguit een klein beetje meer omsloten.

Waarom moest mijn moeder dat nou zeggen? Wat maakte het uit dat ik haar ooit, jaren geleden, tijdens een moeder/dochter-ochtenddroddelsessie in bed, had verteld dat ik J.B. niet uit mijn hoofd kon krijgen? Ik zou nooit ten overstaan van de Dukes alle details over al haar vlammen opdissen. Sommige confidenties hoorden een beetje heiliger te zijn dan dat.

Nu zag ik me genoodzaakt mijn schouders op te trekken. 'Niet echt. We gingen gewoon met hetzelfde kringetje om.'

'Nou, dan heb je zeker ook wel het laatste nieuws over Baxter Quinn gehoord?'

Mijn hoofd schoot weg van het raam om Darla aan te kunnen kijken. Wat wist zij? Ging ik nu echt mijn onverstoorbaarheid verknallen en me ertoe verlagen om Dubbel-D te vragen wat er aan de hand was?

Wacht... Het feit dat ik in paniek was betekende nog niet dat de rest van de wereld op zijn kop stond. Daar zat Darla met haar vooruitstekende onderlip en gebrek aan kin, met het touwachtige haar dat nodig gewassen moest worden en wel wat glansspray kon gebruiken. Ze wist helemaal niets. Ze keek natuurlijk vragend naar mij.

'Als ik heel eerlijk ben,' zei ik op een gegeven moment maar, 'heb ik niet zo'n zin meer om het er nog over te hebben.'

Darla knikte, een en al verontschuldiging.

Inmiddels was de bloemenbus een laan met eiken in gereden, in de richting van de Cove. Ik kende deze buurt goed; we reden langs een chique baai, waar zowel Rex Freeman als Kate Richards een weekendhuis had. Ik wist dat als we tot helemaal voorbij de bocht liepen, daar waar de Cove omlaagliep naar een smal schiereiland met dennenbomen, ik waarschijnlijk het huis van Mike aan de overkant kon zien liggen.

Hij mocht de Zak ook niet, net zomin als ik, maar tegen Darla deed hij altijd heel aardig. Ik denk dat hij dacht dat hij mij daarmee een dienst bewees, maar het irriteerde me juist dermate dat ik niet eens de moeite had genomen om hem te vertellen dat ik die dag met de Dukes opgescheept zat.

'Ik denk dat je dit huis wel mooi zult vinden, Dotty,' zei de Zak, terwijl hij met zijn vingertop over het behabandje ging dat over de blote bovenarm van mijn moeder omlaag was gegleden. Hij keek weer naar me, via de achteruitkijkspiegel, en zijn snor glinsterde in de zon. 'Ben jij net zo kieskeurig als je moeder, Nat?'

Dit keer keek ik hem wel via de spiegel aan. 'Laten we zeggen dat mijn moeder en ik allebei een heel andere smaak hebben.'

Hij keek snel terug naar de weg en reed een parkeerplaats op voor een felgeel huis met twee verdiepingen. Elk huis dat ik tot dan toe in de Cove had gezien was helemaal in de plantagestijl gebouwd, met hoge witte zuilen naast de ingang, met een grote veranda, helemaal om het huis heen, en met geschilderde houten luiken. Als je ze zo allemaal op een rijtje langs het water zag staan, zou je bijna denken dat een of ander bestemmingsplan die stijl voorschreef. Zo niet dit huis. Deze hacienda had geel gestuukte muren en een paars-met-rood Mexicaans pannendak. Het was gigantisch. Het was afschuwelijk. Het was als een vlag op een modderschuit. Zo'n vlag als je alleen bij nieuw geld kunt verwachten.

Maar daar dacht mijn moeder blijkbaar heel anders over. Toen we uitstapten en naar het monsterlijke geval opkeken, sloeg ze haar armen om de Zak heen, terwijl ze kraaide van plezier en haar benen in de lucht schopte. Mijn moeder was net een mollige Julia Roberts.

'*¡Ay caramba!*' giechelde mijn moeder. Toen ze speels '*¿Mi casa es su casa, señor?*' mompelde, viel het hoofd van de Zak zo ongeveer tussen haar borsten.

Terwijl zij zich overgaven aan een lebberende kus, keek ik naar Darla. Heel even had ik de neiging om meelevend met mijn ogen te rollen. Ze mocht dan op Palmetto niet op de A-lijst staan, maar Dubbel-D zat in hetzelfde schuitje als ik en leed net als ik onder schaamte voor haar ouders. Waarom konden we onze gêne dan niet met elkaar delen?

Op dat moment zag ik dat Darla van mijn moeder naar mij keek, en weer terug – alsof ze ons allebei probeerde te peilen. Ze hield haar hoofd schuin en zei: 'Huh.'

'Pardon?'

'Je hebt dezelfde maniertjes als je moeder. Dat heen en weer wiegen als je iemand omhelst – dat heb ik jou ook een keer zien doen.'

Voor ik op mijn vreemde toekomstige stiefzus kon reageren, haakte mijn dezelfde-maniertjes-moeder haar elleboog door de mijne en paradeerde met me het pad naar het huis op.

'Richard zei,' fluisterde ze me in het oor, 'dat als we dit huis echt mooi vinden, hij het me als verlovingscadeau geeft.'

Mijn mond zakte open.

'Ik weet het,' zei ze dweperig, 'en dat betekent...'

'Dat je dus echt gaat trouwen,' maakte ik haar zin voor haar af. 'Alweer?'

'Eh... ja.' Ze haalde haar schouders op. 'Maar wat ik eigenlijk wil zeggen: dat cadeau, op míjn naam... Een heel huis, aan de goede kant van de Cove?' Haar stem steeg een paar tonen. 'Snap je het dan niet, Natalie?' Ze draaide zich naar me om en legde haar handen op mijn schouders. 'Nou, op een dag begrijp je het wel. Zelfs als het niks wordt met Duke...'

93

Ze keek omhoog naar de Zak, die de balkondeur op de bovenverdieping opendeed.

'Zie je die zwembadbar daar, Dotty?' riep hij.

'O, Richard!' Mijn moeder rende naar hem toe en liet mij op de drempel van Casa de Prul achter. Dat hele gedoe van 'ik beklim de sociale ladder alleen maar voor jou' kende ik van mijn moeder. Alleen had ik dit keer genoeg meegemaakt om er zo doorheen te prikken.

Het was vreemd: mijn moeder maakte een heel gelukkige indruk. En reken maar dat er tijden waren geweest waarin ik had gedacht dat ze dat nooit meer zou zijn. Toen mijn vader met de noorderzon vertrok, toen ik net tweeëndertig dagen in het laatste jaar van de Cawdor Middle School zat, was mijn moeder nog radelozer en verdrietiger dan ik. Het grootste deel van mijn tijd op de middenschool was ik bezig haar door de moeilijke perioden tussen twee banen, twee vriendjes en twee flessen wijn heen te helpen. Het was op een gegeven moment zo erg dat ik haar haar zo vaak naar achteren moest vasthouden dat ik geen tijd meer had om zelf ook problemen te hebben. Zij gaf over; ik groeide op. Tegen de tijd dat ik naar Palmetto ging, had ik al meer drama achter de rug dan de meeste meisjes uit de eindexamenklas.

Moest je haar nu zien: vier echtgenoten later en aan haar tweede multimiljoenenpand toe – louter en alleen gebaseerd op haar griezelige vrouwelijke overredingskracht. Mijn moeder mocht dan een sloerie zijn, ze was beslist niet op haar achterhoofd gevallen. Ze had haar eigen gouden geheim ontdekt: veiligheid kreeg ze niet automatisch als ze een man had die van haar 'hield', maar van de dingen die hij voor haar kocht – op haar eigen naam.

Zo zou ik niet eindigen.

'Schatje, kom eens naar het doolhof kijken,' riep mijn moeder vanuit de achtertuin naar me.

Ik zuchtte en maakte aanstalten om om het huis heen te lopen, zodat ik niet hoefde te rillen om de inrichting binnen. Maar voordat ik bij het doolhof was, zag ik Darla over de balustrade geleund staan, in gesprek met Kate Richards. Ik was zo in beslag genomen geweest door die godsgruwelijke hacienda dat ik niet eens gezien had dat het huis van haar familie slechts twee huizen verderop stond.

Ik wilde net om de magnoliaboom heen lopen toen ik Darla's stem hoorde.

'Het was Nats idee dat ik die jurk van haar zou lenen,' jokte ze, terwijl ze de stof gladstreek, daar waar die aan haar zwoegende boezem trok. 'Onze ouders zijn met elkaar.'

'De moeder van Nat Hargrove en jouw vader?' vroeg Kate met een heel zacht hees lachje. Het irriteerde me dat ze plotseling zo belangstellend klonk. 'En jullie gaan hiernaast wonen? Is Nat er dan ook?'

Darla knikte. 'Maar begin in vredesnaam niet over Baxter of over J.B. Het lijkt wel of iedereen het daar met haar over wil hebben,' zei ze met een veelbetekenend knikje. 'Aangezien ze prinses is. Ze heeft het er wel een beetje mee gehad...'

'O hallo, Kate,' zei ik, terwijl ik plotseling achter hen opdook. Haar Rapunzel-haar zat in een rommelige knot boven op haar hoofd opgestoken. Waar haar witte topje net haar jeans raakte, zag ik de tatoeage van een roze hartje op haar heup. 'Nog iets van Baxter gehoord?' vroeg ik.

Kate trok een wenkbrauw naar Darla op en draaide zich toen naar me om.

'Nou, inderdaad, hij heeft eindelijk contact met me opgenomen,' fluisterde ze.

Ik verzette me tegen de neiging om haar naar details te vragen, hees mezelf rustig op het balkon en zei heel achteloos: 'O ja?'

Kate boog zich naar me toe. 'Hij heeft zijn excuses aangeboden omdat hij 'm zomaar was gesmeerd. Hij zei dat we waarschijnlijk binnenkort samen gaan eten.'

In haar stem klonk de onmiskenbare vrouwelijke drang door om het nieuws te verspreiden – en om gerustgesteld te worden dat het goed nieuws was. Ik zuchtte. Dit was niet de krachtige, voortvarende Kate met wie ik het afgelopen jaar bevriend was geraakt. Je denkt dat je een meisje kent – en dan raakt ze op een Mardi Gras-feest haar maagdelijkheid kwijt en wordt ze opeens weekhartig.

'Geweldig, lieverd,' kirde ik. 'Zei hij nog iets over die avond waarop hij 'm gesmeerd is?'

Kate liet haar hoofd op- en neerwippen. 'Hij houdt bij hoog en bij laag vol dat hij onschuldig is. Hij zegt dat hij het binnenkort zal bewijzen, maar hij wilde me niet vertellen waar hij geweest is en ook niet wanneer hij terugkomt.'

'Maar... hij komt dus wel terug?' vroeg ik.

Aan de manier waarop ze me aankeek, met een rimpel in haar voorhoofd en met gretige ogen, zag ik dat Kate het zwaar te pakken had. Ik had medelijden met haar, heus. Geen enkel meisje droomt ervan dat haar vlam meteen na haar eerste keer de benen neemt. Maar dit meisje moest echt bij haar positieven zien te komen. Zelfs als Baxter op z'n best was, was hij haar bij lange na niet waard.

Bovendien had ik een heldere en niet-emotionele informatiebron nodig die mij kon vertellen waar hij uithing.

Als ik Baxter een beetje kende, was hij, waar hij ook mocht zijn, waarschijnlijk plannen aan het maken om, zodra de gelegenheid zich voordeed, groots zijn rentree te maken. Als hij nu al lokaas uitwierp met betrekking tot zijn onschuld en beweerde daar bewijs voor te hebben, beloofde die grootse rentree voor Mike en mij bepaald niet veel goeds.

Misschien werd het toch niet zo eenvoudig als ik gedacht had. Ik voelde dat mijn hart al in mijn borst begon te brullen, maar ik kon maar één ding doen en dat was die energie in iets productiefs omzetten.

'Wat zul je je zorgen maken,' kirde ik hoofdschuddend. 'Dat je geen idee hebt hoe je hem kunt helpen. Als je nou maar wist waar hij zat, dan konden we misschien iets voor hem doen.'

'Ik kan natuurlijk wel blijven proberen om erachter te komen.' Kate klonk hoopvol bij de gedachte aan een Baxter-gerelateerd project. Darla schoof wat heen en weer met haar voeten.

Ik streek een losgeraakte piek haar achter Kates oor. 'Wat er ook gebeurt, je weet dat ik je met alle plezier wil helpen,' zei ik heel lief. 'Hou me op de hoogte. Als je iets te weten komt, of als je iets nodig hebt, vertel het me.'

'Natuurlijk.' Kate knikte. 'Bedankt.'

'Meisjes,' riep de Zak van het balkon op de bovenverdieping, 'kom boven, dan leid ik jullie rond.'

Zowel hij als mijn moeder zag er rood aangelopen uit. Ik wilde er niet eens aan dénken wat ze in de ouderslaapkamer hadden uitgespookt. Meestal zag ik, telkens wanneer ik dacht aan andere mensen die seks hadden, een flits van Mikes lichaam boven op het mijne, in bed, gevolgd door een tintelend gevoel vanbinnen. Mike en ik noemden dat altijd de flitstintel.

Maar die dag was er iets veranderd. Telkens wanneer mijn gedachten naar Mikes ogen flitsten, zag ik daar geen opwinding in. Eerder doodsangst.

Als ik het verlangen in Mikes ogen wilde zien, en niet de angst, moest ik ervoor zorgen dat wij tweeën en onze kronen uit de gevarenzone bleven. Als ik naar Kate keek, moest ik voortdurend aan Baxter denken. Mike en ik konden niets doen, tot we wisten wat die ouwe junk in zijn schild voerde. Pas dan zouden we hem kunnen dwarsbomen.

12 GERAAS EN GEBRAL

Op maandagochtend deden de geruchten als een lopend vuurtje de ronde. Palmetto had van oudsher een over de hele school verspreid roddelcircuit. Aan het begin van de week stuurde iedereen met een nieuwtje (losjes geformuleerd en variërend van 'X heeft het met Y gedaan' tot 'Raad eens wie de nacht weer in de gevangenis heeft doorgebracht') dit rond op een stukje papier – met bonuspunten voor pit en creativiteit. De grap was om te zien hoe ver het bericht zich aan het eind van de dag verspreid had – en hoe verdraaid het in die tussentijd geraakt kon zijn. Aangezien iedereen er iets aan kon toevoegen of het bericht kon herzien, was de geruchtenmolen een soort liefdesbaby van Wikipedia en de tamtam.

Niemand wist wie er aan het begin stond, of wanneer, of waarom we de ouderwetse formule van de doorgegeven briefjes onderhand niet hadden gemoderniseerd en er tal van technologische snufjes op hadden losgelaten. Maar iedere leerling op deze school was er dol op (en haatte het zo nu en dan ook vol overgave). Dus ondanks de vermoeide pogingen van de stomme leraren om het uit te roeien, vermoedde ik dat de geruchtenmolen ons allemaal zou overleven.

Ik had niet echt verwacht dat ik op mijn eerste officiële dag als Palmetto-prinses bezig zou zijn om geruchten te temperen waar ik zelf mee te maken had, dus daar zat ik, tijdens het eerste uur, Europese geschiedenis, de berichtjes die langskwamen te censureren.

Waar of niet waar: prinses Nat en Dubbel-D gaan binnenkort aan de baai samenwonen?

Iemand had een pijltje onder Darla's naam getekend en erbij geschreven:
Vandaar dat die huizenprijzen in de Cove zo gezakt zijn.

Mijn eerste neiging was om een grote rode kring om 'niet waar' te tekenen en er in het handschrift van iemand anders onder te schrijven:
Voorbarig gerucht. Papierwerk niet rond, dus de koop kan nog afketsen. Iemand is te vroeg in actie gekomen.

In plaats daarvan bleef ik rustig:

Nota bene: Dubbel-D is daar helemaal niet welkom. Het cadeau van Duke is uitsluitend voor gebruik van Hargrove. Iedereen die een uitnodiging voor mijn feestjes wil, zal deze waarheid goed moeten onthouden. – NH.

Tijdens de les daarna, Frans, deed het tweede briefje de ronde.

Het gerucht gaat dat Baxter Quinn zich niet bij deze moordzuchtige beschuldigingen zal neerleggen. Hij heeft een alibi en heeft zelf een verdachte op het oog.

Ik legde het briefje midden op mijn tafel neer en probeerde er zo ongeveer elk ander handschrift in te zien dan dat van Kate. Maar de veelzeggende knalroze pen en het half uit blokletters, half uit schuine letters bestaande handschrift liet niets te raden over. Ik stopte stiekem een stuk Juicy Fruit in mijn mond en knarste met mijn tanden om de juice heen. Ik boog me naar voren om naar het afschuwelijke briefje te kijken tot de letters wazig werden en ik weer kon nadenken.

Dat mijn goede vriendin Baxters Bin Laden-achtige stijl van communiceren aan de hele school overbracht, voelde op de een of andere manier heel ondermijnend. Vooral na het gesprekje dat we de dag ervoor in de Cove hadden gevoerd. Ik dacht dat ik heel duidelijk had gemaakt dat de lijnen van Baxter-communicatie tussen ons tweeën te allen tijde open gehouden moesten worden. Wat er met Baxter gebeurde was niet iets waar de hele school zich mee hoefde te bemoeien.

Ik realiseerde me pas dat ik heel hard op mijn pen had gedrukt toen er een grote zwarte inktvlek door het midden van Kates briefje begon te lopen.

Oké, ze probeerde voor haar geliefde op te komen – prima. Waar het natuurlijk echt om draaide was dat dit nieuws, naarmate meer mensen het briefje onder ogen kregen, steeds groter zou worden. Ik had het gelukkig in een vroeg stadium in handen gekregen, zodat ik er nog iets aan kon bijsturen. Ik hoefde het alleen maar opnieuw af te zwakken – dit keer met een iets minder duidelijke afzender.

Sinds wanneer is Baxter Quinn zo nuchter dat hij iets anders kan dan zich neerleggen? Voorspelling inzake zijn alibi: hij was bewusteloos. Verdachte verdachte: pillen, verkocht door B.Q. zelf, eerder die avond.

Ik vouwde het briefje dicht en gaf het door, in de wetenschap dat Kate hier wel eens bezwaar tegen zou kunnen maken, maar ik hoopte dat ze uiteindelijk zou begrijpen dat ik het alleen maar voor haar bestwil had gedaan. Hoe sneller Baxter uit ons leven was, van ons allemaal, hoe beter.

Ik hoopte maar dat het scherpe sarcasme van mijn antwoord dit gerucht in de kiem zou smoren. Maar ik kreeg amper de tijd om na mijn gesmeerde ingreep te ontspannen, want daar arriveerde het derde briefje van die ochtend al op mijn tafeltje.

Waar of niet waar: Het schijnt dat iedereen een tweede ondervraging wil door die lekkere nieuwe agent op school.

Wat betekende dit in vredesnaam? Ik keek om me heen waar het briefje vandaan was gekomen, maar alle andere leerlingen in mijn directe omgeving hadden hun ogen onlosmakelijk op het bord gericht, waar madame Virge onregelmatige werkwoorden vervoegde. Toen ze het krijtje neerlegde, keek ze omhoog naar de klok en pakte een papier van haar bureau.

'Ik heb strikte orders om dit voor te lezen,' zei ze, waarmee ze meteen ieders aandacht had, aangezien ze bij hoge uitzondering eens niet in haar moedertaal sprak en ons iets meedeelde wat we daadwerkelijk konden verstaan. 'Als jullie maar niet denken dat ik hierna ook nog Engels ga praten.'

De klas kreunde, en madame Virge schraapte haar keel en begon voor te lezen.

'Attentie: dit is bedoeld voor iedereen die nog niet gesproken heeft met onze nieuwe contactpersoon bij de politie, brigadier Parker. Jullie worden allemaal tijdens de reguliere studie-uren naar het kantoor van directeur Glass geroepen voor een korte ondervraging. Iedereen moet zich daar melden.'

Hmm. Ik had pas tijdens het derde uur een studie-uur, maar Mike had dat meteen het eerste uur al. Waarom had hij me niet ge-sms't om me te waarschuwen?

'A.J.,' fluisterde ik tegen Amy Jane toen de bel ging, ten teken dat we konden gaan, 'heb jij al een studie-uur gehad? Wat wil die nieuwe agent?'

Amy Jane trok een pruilmond en zei: 'Het laatste uur pas. Balen – het schijnt een ontzettend lekker ding te zijn.'

Ik beet op mijn nagels en glipte nijdig de klas uit. Ik ging echt niet zitten wachten tot ik bij die nieuwe contactpersoon van de politie geroepen werd, lekker ding of geen lekker ding. Net toen de volgende bel ging, klopte ik op de deur van directeur Glass.

'Binnen,' riep een mij onbekende stem.

Door de vissenkomwanden zag ik een man in uniform achter het bureau van de directeur staan, tegen de boekenkast geleund. Hij zag eruit als een magere versie van Paul Rudd. Toen ik de deur opendeed en naar binnen liep, was zijn insigne het eerste wat ik zag; dat glom alsof het elke dag opgepoetst werd. Daarna dwaalden mijn ogen omlaag naar zijn donkerblauwe broek, die zo strak in het kruis zat dat ik me afvroeg of hier niet een kledingvoorschrift werd overtreden. Hij had donker haar dat hij aan de voorkant gladgekamd had. Hij wees naar een van de stoelen in de kamer en zei met opgetrokken wenkbrauwen: 'Ga zitten. Ik neem aan dat jij de Palmetto-prinses bent, Natalie Hargrove?'

'Dat nieuws doet als een lopend vuurtje de ronde,' zei ik. 'En dan bent u brigadier Parker, neem ik aan?'

Ik ging zitten en monsterde hem om te beoordelen of hij pervers genoeg was om zich naar voren te buigen en te kijken hoe ik met mijn korte grijsblauwe plooirokje ging zitten en mijn benen over elkaar sloeg. Zo'n kerel was het wel.

'Ik heb je foto in de krant gezien,' legde brigadier Parker uit. 'Ik heb het een en ander over jullie school gelezen, om er een beetje in te komen. Je denkt natuurlijk dat ze me hebben aangenomen om datgene wat er afgelopen weekend is gebeurd tot de bodem uit te zoeken.'

Ik haalde mijn schouders op. 'Ik heb er nog niet echt over nagedacht.'

B.P. krabde aan zijn vooruitstekende kin. 'Was Justin Balmer een vriend van je?'

'Niet echt,' zei ik. 'Hij speelde football met mijn vriendje.'

'Dat heb ik gehoord, ja.' Hij keek omlaag naar zijn notitieblok, en toen weer omhoog naar mij. 'En hoe lang ben je al met je vriend samen?'

'Ik zie niet in wat dat met uw onderzoek te maken heeft,' zei ik, terwijl ik hem strak bleef aankijken. Zijn lichtbruine ogen hadden iets warms en kouds tegelijk, alsof je in de winter met het raampje omlaag en de verwarming aan rijdt.

Brigadier Parker liep om het bureau heen. Ik rook de muskusachtige aftershave op zijn gezicht. Hij glimlachte dunnetjes naar me.

'Ik zal er niet omheen draaien, prinses,' zei hij. 'Deze zaak riekt naar iets smerigers dan alleen maar een dronken jongen die een dosis pillen heeft overgeslagen. Je hebt misschien wel gehoord dat we een verdachte hebben die iets te maken heeft met een film die die avond is opgenomen?'

Ik schudde mijn hoofd, maar greep de armleuningen steviger beet. Dit was goed nieuws: de politie beschouwde Baxters film dus als bewijsmateriaal.

'Dat bewijsmateriaal alleen maakt de zaak natuurlijk nog niet waterdicht,' ging hij verder. 'En er is een probleempje mee.' Hij likte langs zijn lippen. 'Enig idee wat dat probleempje zou kunnen zijn?'

'Ik begrijp niet waar u heen wilt,' zei ik, terwijl ik mijn benen van elkaar deed en weer over elkaar sloeg.

Brigadier Parker keek ernaar. 'Je lijkt me een aardige meid. En Baxter Quinn was niet echt een geweldige cameraman.' Hij grinnikte – een fluitend, smerig geluid. 'Dat er een paar pikante indiscreties op film zijn vastgelegd zou niet tegen je gebruikt moeten worden.'

Ik beet op mijn lip. O. Shit. Al die tijd dat ik over Baxter en die film had zitten broeden, was ik erin geslaagd om het sprankelende tafereel dat hij eerder die avond van Mike en mij had gefilmd geheel over het hoofd te zien. Dat we die film gebruikten om Baxter ten val te brengen was natuurlijk te mooi om waar te zijn. Ik kon gewoonweg niet geloven dat deze ranzige agent, met die veel te veelbetekenende twinkeling in zijn ogen, nu ook iets tegen mij gevonden had.

'Ik zou gewoon niet graag zien dat jouw reputatie al zo snel nadat je gekregen hebt wat je wilde om zeep geholpen wordt,' zei B.P. op een gegeven moment.

'Wat ik wilde?' vroeg ik. Oké. Hoeveel wist die man nou in werkelijkheid? Ik voelde me vreselijk machteloos en kwetsbaar, alsof de hele school mijn gedachten kon lezen, zo door deze glaswand heen.

'De kroon,' zei hij doodleuk.

Ik blies mijn adem uit.

'Moet je horen,' zei brigadier Parker. Hij was nu zo dicht bij me dat ik zijn adem op mijn wang kon voelen. 'Niemand heeft het hier over chantage. Persoonlijk zie ik ook niet in waarom een amateurseksfilm tijdens een rechtszaak gebruikt zou moeten worden. Tenzij...'

Zijn hand lag op mijn been. Ik keek om me heen. Liep er niet toevallig iemand langs de vissenkom, die kon zien wat voor eersteklas viespeuk die vent was?

'Wat wilt u van me?' fluisterde ik.

'Jij hebt contact met de leerlingen van Palmetto,' zei hij, terwijl hij zijn hand weghaalde om zijn armen over elkaar te slaan. 'Geef mij bewijsmateriaal waarmee ik de zaak kan afronden, dan kunnen we doen alsof die film nooit bestaan heeft.'

'En Baxter dan? Stel dat hij terugkomt?'

Brigadier Parker stak zijn handen uit, alsof hij heel overdreven zijn schouders ophaalde. 'Zijn woord tegen het mijne? Die film is nu officieel bewijsmateriaal van de politie, prinses,' zei hij. 'Daar verandert zo'n gastje met een drugsprobleem helemaal niks aan.'

Hij stak me zijn hand toe, en toen ik de mijne uitstak om hem te schudden, bracht hij die naar zijn lippen. 'Wij hebben nog contact, zeker weten.'

Toen ik het kantoor uit liep, wilde ik het liefst meteen onder de douche. Stel nou dat er meer op de dvd stond dan hij losliet? Stel nou dat hij gewoon probeerde te kijken hoe ver hij moest gaan om mij te laten doorslaan? En wat was er gebeurd in zijn gesprek met Mike?

Ik schrok op van een snurkend geluidje links van me. Het was Darla, Dubbel-D, die op de bank voor het kantoor van de directeur lag te dutten. Ze voelde waarschijnlijk dat ik naast haar stond, want ze schrok wakker en veegde onmiddellijk wat kwijl uit haar mondhoek. Ze had een Palmetto-sweatshirt aan, bijna precies dezelfde als ik de dag ervoor had gedragen, maar dan lichtblauw.

'Ben jij net ondervraagd?' stamelde ze. 'Ik moet nu. Ik zat mijn hersens te pijnigen omdat ik alles wat ik wist over J.B. wilde opschrijven, om te helpen. Ik denk dat ik in slaap ben gevallen.'

'Ooit van het gezegde gehoord dat je geen slapende honden wakker moet maken?' zei ik zacht.

Darla's gezicht betrok. Haar ogen kregen een kille uitdrukking. Voordat ik mijn excuses kon aanbieden, vloog ze overeind.

'Jij bent misschien ouder en populairder dan ik,' zei ze met meer venijn dan ik bij haar voor mogelijk had gehouden, 'maar ik heb grotere borsten en meer geld.'

Ik lachte en hield mijn hoofd schuin naar Darla.

'Dus ik moet jaloers op je zijn?'

Darla haalde haar schouders op. 'Er is nog een gezegde. Over dat de appel niet ver van de boom valt.' Ze draaide haar hoofd om als een gast in een ranzige talkshow. 'Zo moeder, zo dochter.'

'Darla Duke.' Een secretaresse stak haar hoofd om de deur van het kantoor. 'Je kunt bij brigadier Parker komen.'

Darla stond op, maar voor ze het hol van de Super Smeerkees binnen ging, keek ze nog even naar me om.

'We kunnen zusjes zijn,' zei ze, zo zacht dat de secretaresse het niet zou verstaan, 'maar ik kan je ook behandelen als de uitvreter die je van huis uit bent. Je mag zelf kiezen.'

Toen was ze weg. Als deze muren niet zo doorzichtig waren geweest, had ik Darla misschien wel bij de capuchon van dat sweatshirt vastgegrepen. Maar toen zag ik Mike verderop in de gang. Ik rende naar hem toe en deed ondertussen mijn best om mijn zelfbeheersing weer terug te krijgen. Hij stond met het footballteam te praten, te lachen en met zijn helm tegen de kluisjes te bonken. Misschien wist hij niet dat we op het punt stonden om gechanteerd en gearresteerd te worden. Tegen de tijd dat ik bij hem was, was ik pislink.

Hij keek heel even naar mijn gezicht en draaide zich toen om naar de jongens. 'Ik zie jullie straks in de kleedkamer, oké?' Hij legde zijn arm om mijn middel en trok me naar zich toe. 'Wat is er?'

'Jij hebt vanochtend met brigadier Smeerkees gesproken. Waarom heb je me dat niet verteld?'

'Waar heb je het over?' Mike keek me uitdrukkingsloos aan.

'Hij heeft die dvd,' zei ik langzaam.

'Dat weet ik,' zei Mike; hij grijnsde er nog bij ook. 'De jongens hadden het er vanochtend tijdens de training over. Ik popel de hele dag al om het je te vertellen.' Hij legde zijn hand tegen mijn achterhoofd en fluisterde: 'Nog even en dan zijn we uit de problemen; het is hooguit een kwestie van tijd.'

'Ben je niet goed wijs of zo?' Ik sloeg hem van me af. 'Heeft brigadier Parker je geheugen niet opgefrist over wat er verder nog speelt?'

Mike fronste zijn voorhoofd en schudde van nee.

'Geweldig,' zei ik, en ik deed de rits van mijn rugzak open om een stuk kauwgum te pakken. 'Hij heeft helemaal niets gezegd. Dus ik ben de enige die door hem gechanteerd wordt.'

Nu betrok Mikes gezicht, en hij klemde zijn kaken op elkaar. Hij krulde zijn hand tot een vuist. 'Wat heeft hij dan tegen je gezegd?'

'Nou, laten we het erop houden dat hij een beetje erg geïnteresseerd is in de hoeveelheid vlees die Baxter van mij op beeld heeft vastgelegd.' Ik kauwde. Ik probeerde hem van me af te duwen, maar hij was te sterk voor me. 'Waarom heb je daar niet aan gedacht, Mike? Je had iets aan die dvd moeten doen. Dat was jouw taak.'

Nu maakte Mike zijn handen los van mijn middel en liet ze langs zijn lichaam zakken.

'Daar heb jij anders ook niet aan gedacht,' zei hij geërgerd.

'Oké, maar nu ben jij aan de beurt om actie te ondernemen en te bedenken hoe je dat ding in handen kunt krijgen,' zei ik. 'Er moeten een paar dingen uitge-knipt worden voordat iemand Baxter kan beschuldigen.'

'Dat slaat nergens op, Nat, dat weet je best,' mompelde hij. 'Waar zie je me voor aan?' Hij boog zich naar me toe en ging zachter praten. 'Die dvd is in han-den van de politie, en dan verwacht je van mij dat ik hun die op geheimzinnige wijze ontfutsel, zodat jij je niet hoeft te schamen voor een beetje bloot?'

'Stel nou dat er meer op die dvd staat dan alleen een beetje bloot?'

'Vertel me nog eens even wat jíj gedaan hebt om ons uit deze shit te krijgen? Wat zou jij ook alweer regelen?'

Ik sloeg mijn armen over elkaar. 'Ik heb nog geen kans gehad om met Tracy te praten, omdat ik het te druk heb met door de politie gechanteerd te worden.'

'O ja, dat was ik vergeten: jij zou met Tracy praten. Ik hoop dat dat niet te ge-vaarlijk voor je is. Laat me vooral weten wat ze te vertellen had, en of je het er le-vend van afgebracht hebt.'

'Mike...'

'Ik zie je na school.'

Hij was al halverwege de gang. Ik was niet van plan om een scène te schoppen door hem na te schreeuwen ten overstaan van de Bambi's die op een kluitje bij de frisdrankmachines stonden. Ik stormde de trap op, naar de wc's voor de eer-steklassers. Ik moest en zou Tracy vinden. En als Mike wilde horen wat ik te weten was gekomen, zou hij toch flink door het stof moeten.

'Ah, daar ben je,' zei Tracy, terwijl ze haar saffieren bril op haar neus omhoog-schoof, toen ik de wc's binnen stormde. 'Jezus, Nat, wat zie jij eruit.'

'Ik ben net...' begon ik. Wat was ik net?

Met knallende ruzie bij mijn vriendje/medesamenzweerder weggegaan?

Door de grootste loser van school met mijn op de sociale ladder opklimmende moeder vergeleken?

Bijna onder de druk van dit monstergeheim bezweken?

'Ik ben net ondervraagd door onze nieuwe contactpersoon van de politie,' zei ik toen maar. 'Ik ben echt helemaal van slag.'

'Arme Nat,' zei Tracy, terwijl ze haar vlechten tot een dikke paardenstaart bij elkaar bond. 'Ik heb B.P. vanochtend gesproken. Lekker ding, maar wel een slij-merd, vond je niet?' Ze liep met me naar de spiegel en stak wat wierook aan. 'Hier,' zei ze, en ze begon met haar vingers mijn haar te borstelen, 'eerst even lekker kalmeren.'

In de spiegel herkende ik mezelf amper; ik trilde nog steeds en mijn gezicht was rood aangelopen. Ik zag er doodmoe en stokoud uit. Mijn haar glansde niet meer en zelfs mijn donkerbruine ogen stonden dof. Was het pas een week geleden dat Palmetto mij de kroon waardig had geacht?

'Die vent is een megaslijmerd,' zei ik.

'Ik weet het,' kirde Tracy. 'Je vindt het waarschijnlijk niet leuk om te horen, maar je hebt wel iets gemeen met brigadier Parker.'

Ik schudde mijn hoofd. 'Waar heb je het over? Waar heb je dat nou weer vandaan?'

Tracy klakte met haar tong. 'Je weet dat ik nooit mijn bronnen onthul.' Ze keek peinzend. 'Dat is waarschijnlijk het enige wat ik met de geruchtenmolen gemeen heb. Maar goed, als je het B.P. betaald wilt zetten, heb je misschien iets aan een oude kennis. Meer zeg ik niet.'

'Ik begrijp het niet. Hoe moet ik...'

De bel ging. Tracy blies de wierook uit en haalde haar schouders op.

'Meer kan ik er echt niet over zeggen. Behalve dit: wraak is vaak dichterbij dan je denkt, en de val komt er altijd meteen achteraan.'

13 HET WORDT STEEDS ERGER

Maandag ging ik na school via de branduitgang naar buiten, naar het plekje van Mike en mij, onder de tribunes. Ik moest er nog even niet aan denken om een van de vele mensen die ik probeerde te ontwijken tegen het lijf te lopen, van Darla Duke tot brigadier Parker. En ik had al helemaal geen zin in Kate. Mijn hoofd tolde nog van Tracy's raadselachtige voorspelling, waar ik echt geen chocola van kon maken. Misschien kon Mike er wat licht op werpen.

We probeerden altijd onder de tribunes samen te komen, voor onze eigen versie van een peptalk voor een wedstrijd. Meestal liet ik hem voor de training een touch-down scoren, want op het veld moest hij in de verdediging spelen. Maar nadat ik die dag onder de derde verroeste bank was gedoken en langs de waterplassen naar ons grasveldje was gelaveerd, zag ik tot mijn verbazing dat Mike er voor de verandering niet eerder was dan ik.

We hielden er niet van om boos naar de les te gaan en we bleven nooit langer dan de laatste bel kwaad. Ik was er dus van uitgegaan dat we allebei vanuit het achtste uur naar de tribunes zouden racen om het goed te maken. Nu vroeg ik me af of onze ruzie in de gang voor hem misschien nog niet was overgewaaid. Ik wilde mijn telefoon pakken om hem te sms'en, maar iets weerhield me daarvan. Hij kwam of hij kwam niet. En als hij niet kwam, dacht ik, terwijl ik mijn kauwgum in het gras uitspuugde, dan wist ik in elk geval dat hij heel erg kwaad was. Wat in de hele geschiedenis van Nat en Mike nog nooit eerder was gebeurd.

Ik wachtte, gluurde vanonder de tribune naar het veld en dacht aan de paar keer dit jaar dat ik, terwijl Mike en ik midden in een vrijpartij zaten, mijn ogen open had gedaan en reikhalzend had gekeken of ik een glimp kon opvangen van J.B., die rondjes over de baan rende.

Ik weet dat dat vreemd is, maar ik had er altijd een goed gevoel van gekregen: de wetenschap dat ik eindelijk met de goede jongen was. Maar nu voelde ik me door die herinnering alleen maar ziek en alleen. Dat gevoel zou ik nooit meer krijgen, ik zou nooit meer de pulserende pezen in J.B.'s kuiten zien, terwijl hij rende, en ook zijn blonde sluike haar niet meer in de wind zien wapperen. Meer dan ooit wilde ik dat ik Mike in mijn armen had, zodat die de pijn een beetje kon wegnemen. Ik kon hem niet ook door mijn vingers laten glippen.

Daar had je hem. Hij kwam met de andere jongens uit de kleedkamer gerend. Ik voelde een scherpe steek in mijn borst. Hij had me gedumpt. Hij had niet eens geprobeerd te bellen. En toen het team zijn eerste rondje over de baan rende, keek Mike, toen hij langs onze geheime plek onder de tribune kwam, de andere kant op.

Mijn wangen liepen rood aan van woede. Iets in mij wilde het veld op rennen en hem laten weten dat hij niet zomaar in z'n eentje kon besluiten om mij aan de dijk te zetten. We waren een team – zelfs als we in de problemen zaten, moest de band die we samen hadden ongeschonden blijven.

Maar dit was niet de tijd of de plaats om daarover te beginnen, en ik moest nog steeds het grote project van Tracy's voorspelling ontrafelen – in mijn eentje.

Ik kon de gedachte aan die smerige B.P die met zijn hand over mijn been ging niet van me afschudden, maar hij was niet de enige op wie ik wraak wilde nemen. Baxter en B.P. waren voor mij nu met elkaar verbonden; als de een viel, viel de ander ook. En wat had Tracy bedoeld met een 'oude kennis' die brigadier Parker kende? Ik scrolde door de adressenlijst van mijn mobiele telefoon, op zoek naar antwoorden, bleef even hangen bij de naam van Kate Richard... maar scrolde door. Ik stopte pas toen ik bijna aan het eind van het alfabet was aangekomen.

Sarah Lutsky. Mijn oude beste vriendin uit Cawdor. Het verbaasde me dat ik haar nummer nog had. Nou, ze had inderdaad altijd een zwak gehad voor mannen in uniform. Maar zou Tracy echt zo'n oude kennis bedoeld hebben?

Sarah Lutsky kon ik maar op één plek vinden – althans, ervan uitgaand dat een aantal fundamentele eigenschappen van de planeet niet waren veranderd. Binnen een paar minuten had ik mijn auto gestart en reed ik in oostelijke richting. Ik stak het spoor over en bevond me al snel in een deel van de stad waarvan ik ooit had gedacht dat ik er nooit meer een voet zou zetten.

Andere leerlingen van Palmetto gingen wel eens een doodenkele keer naar Cawdor als ze een morsig café wilden bezoeken. Als mijn vrienden besloten de achterbuurt in te gaan, verzon ik altijd snel als excuus een of andere noodsituatie in de familie. Ik moest er niet aan denken dat die twee werelden met elkaar in botsing zouden komen.

Die dag ging ik op zoek naar een oude kennis, en wel op een plek waar ik waarschijnlijk een andere zou tegenkomen: mijn oude BV, goedkope drank. Mike vond het natuurlijk maar niks als ik vóór het door de countryclub goedgekeurde borreluur iets dronk, maar doordat hij me onder de tribune aan mijn lot had overgelaten, gaf hij me niet veel keus.

Ik reed langs de rij cafés aan Cawdor Street en moest denken aan de jaren waarin ik bij een paar daarvan echt veel te vaak kwam. Ik minderde vaart om een parkeerplaats te zoeken, en dat voelde echt als een bezoekje aan een zwart gat uit mijn verleden. Daar had je het oude bordeel dat tot een troosteloos café was omgebouwd en waar waarschijnlijk nog een paar van mijn met kant afgezette sportbeha's aan de kroonluchter hingen. En daar was de Mexicaanse tacokraam, waar ik minstens eenentwintig keer eenentwintig was geworden, want op je verjaardag kreeg je daar gratis tequila. En daar had je mijn favoriete punkrockclub – wacht eens even, waar was mijn favoriete punkrockclub gebleven?

Mijn voormalige favoriete tent had een nieuw bord, was opnieuw geschilderd... en had een nieuwe naam.

Ik zette mijn auto voor de club, die nu... Zoete Wraak heette, en de rillingen liepen me over de rug. Misschien had Tracy's voorspelling meer om het lijf dan ik vermoed had.

Ik liep door de ouderwetse saloondeuren het café in. Binnen was het rokerig, maar toen mijn ogen aan het halfduister waren gewend, zag ik dat er niet veel was veranderd. Plotseling was ik weer dertien, stond ik achterin bij de muntjestelefoon, flirtte ik met mannen die twee keer zo oud waren als ik en nam ik Jägerbommen van mijn vrienden aan. Als ze zelfs in zo'n café als dit weigeren je alcohol te schenken, weet je dat je echt te jong bent om te drinken. In die tijd hield ik er het soort vrienden op na waarvan elke verstandige moeder een maagzweer krijgt – althans, als de genoemde moeder het niet te druk had met bewusteloos op de bank liggen.

Dit keer ging ik aan de bar zitten. Ik voelde me heel wat door alles wat ik de afgelopen vier jaar, sinds ik hier voor het laatst was geweest, had meegemaakt – eerst het grote huis, toen de snelle auto, het lekkere vriendje, de fonkelende kroon, o, en ook nog die ene bizarre moord...

Ik rilde en trok mijn jasje wat dichter om me heen.

'Wat zal het zijn?' vroeg de barkeeper, terwijl hij een cocktailservetje voor me neerlegde.

'Een SoCo met lime,' zei ik. 'Doe maar een dubbele.'

Het drankje werd voor me neergezet, en ik sloeg het achterover. Ik vergat dat het in het zuiden ongeluk betekende als je niet op iets toostte, ook al was je in je eentje. Het was gewoon heel lekker om het zo snel achterover te slaan. Ik zette het glas met een dreun neer, kreunde en schudde mijn hoofd.

'Nog maar een,' riep ik naar de barkeeper.

'Ik had al zo'n gevoel dat je terug was,' riep een hoge, blikkerige stem.

Daar was ze. Ik dacht dat ik nog wel tijd voor één glas zou hebben voordat Sarah klaar was met haar werk op de bowlingbaan. Maar toen ik langs de toog keek, zag ik haar op de kruk op de hoek zitten. Aan de rij lege glazen voor haar neus te zien, zat ze hier al vanaf dat ik binnenkwam. Haar golvende roodblonde haar hing over haar topje en haar lichtbruine ogen waren omrand met kohl. Haar lange smalle vingers plukten aan het etiket op haar flesje bier, en toen ze naar me glimlachte, zag ik het minuscule spleetje tussen haar twee voortanden.

'Sarah,' zei ik, steeds verbaasder over Tracy's vooruitziendheid. 'Niet te geloven.'

'Geloof het maar wel,' zei ze, en ze stond op om wat dichter naar me toe te schuiven. 'Mensen verdwijnen niet zomaar van de aardbodem omdat jij het contact verbreekt, Tal.'

Die oude koosnaam schudde me wakker. Zo was ik in jaren niet meer genoemd, al niet meer sinds Sarah en ik onafscheidelijk waren geweest, al niet meer sinds ik een Cawdor-meid was geweest in plaats van een Palmetto-prinses.

'En ja,' zei ze, 'ik heb gehoord wat er met hem is gebeurd.' Ze zette haar glas neer en pakte haar haar in een lage staart bij elkaar. 'Gaat-ie?'

'Jawel hoor,' zei ik snel. 'Hoe heb je het gehoord?'

Ze keek om zich heen, het lege café rond, en legde haar hand om mijn elleboog. 'Misschien moeten we even achterin gaan zitten,' zei ze. 'Dan kunnen we praten.'

Ik liep achter Sarah aan naar achteren – zoals we zo vaak hadden gedaan. Heel even was het net alsof ik nog Tal was en zij nog Slutsky, met haar strakke spijkerbroek om haar kaarsrechte benen en haar dunne topje, zodat ze kippenvel op haar armen had. Slutsky had het altijd ijskoud, vandaar dat we altijd voor de grap zeiden dat ze daarom zo door de jongens die om ons heen hingen opgewarmd moest worden.

'Hé, Slutsky,' riep een uitgelaten jongen vanaf de pooltafel.

'Nu even niet,' zei ze op diezelfde vinnige toon van vroeger. Ze duwde me een donker zit je in de hoek in, haalde haar heupflacon tevoorschijn en nam een slok.

'Ik ben tegenwoordig met iemand anders,' zei ze.

'Eh... leuk voor je,' stamelde ik. Als ze nu ging zeggen wat ik hoopte dat ze zou gaan zeggen, moest ik aandelen in Tracy Lampert gaan kopen.

'Dat zeg ik omdat diegene met wie ik nu ben jou misschien wel interesseert.'

'Ik ben een en al oor.'

'Derek Parker,' zei ze, en ze grijnsde er plotseling bij. 'Je kent hem misschien in uniform?'

'Heb jij verkering met brigadier Parker?' grinnikte ik. Ik probeerde geschrokken te klinken, maar vond het juist spannend.

'Verkering? Zo zou je het kunnen noemen,' zei ze, en ze maakte er een achteloos handgebaar bij. 'Hij is getrouwd, dus het is misschien niet precies het goede woord.'

Vroeger zou ik 'Slutsky, gatver!' gezegd hebben, en dan hadden we in een deuk gelegen over hoe ranzig het was, maar ook wel spannend. En dan zou ze meer expliciete details geven dan zelfs ik kon bevatten. Maar nu...

'Ik zie dat je me veroordeelt, ook al hou je je mond dicht.' Ze zuchtte, stak een sigaret op en hield mij het pakje voor. Ik schudde mijn hoofd. Ze haalde weer haar schouders op.

'Het punt is,' ging ze verder, 'dat ik net als jij het oude leven van me af heb geschud. Misschien kunnen we weer vriendinnen zijn.'

'Hoe weet jij dat ik het oude leven van me af heb geschud?' Het was niet bepaald gemakkelijk om het nieuws uit de andere kant van de stad bij te houden.

'Aha.' Slutsky wreef in haar handen en grijnsde. 'Nu komen we bij het leuke deel,' zei ze. 'Laten we zeggen dat het bepaalde voordelen heeft om het met iemand van de politie te doen. Zoals... officieel bewijsmateriaal?'

Mijn mond zakte open. 'Heb je die dvd gezien?'

Slutsky knikte. 'Tal, ik moet zeggen: ik ben onder de indruk. Als mensen oversteken naar de nouveau riche, worden ze meestal heel gespannen, maar die nieuwe jongen – hoe heet hij ook alweer? Hij heeft je echt lekker losgemaakt.'

'Je liegt.' Ik pakte mijn glas stevig beet om mijn handen stil te krijgen. 'Waarom zou jij, waarom zou hij...'

'Voornamelijk voor onderzoeksdoeleinden,' zei ze. 'Derek en ik liefhebberen zelf ook een beetje met film. Hij dacht dat we misschien inspiratie konden opdoen...'

'Dat is walgelijk, en bovendien hartstikke illegaal.'

'Rustig aan,' zei ze. 'Je was best om aan te zien. Niks wat ik zelf niet al eens geprobeerd heb, maar...'

'Slutsky,' zei ik langzaam, 'heb je die dvd nog? Ik bedoel...'

'Ja, geloof je het zelf?' Ze schudde haar hoofd. 'Dat ding ligt op het bureau in de kluis.' Ze blies een kringeltje rook, bracht haar flacon weer naar haar mond en nam nog een grote slok.

Zo was Sarah: altijd in voor een feestje, maar als puntje bij paaltje kwam, kon je er nooit echt van op aan dat ze je uit de penarie hielp. Zij begreep natuurlijk totaal niet dat mijn reputatie op Palmetto stond of viel met de vraag of die dvd wereldkundig werd gemaakt of niet.

Misschien had Tracy Lampert zich vergist en was deze hele excursie naar Cawdor zonde van mijn tijd. Waarom dwong ze me weer in contact te treden met deze 'oude kennis' als het toch op dezelfde ellende uitliep? En waarom zat Slutsky in mijn tas te rommelen? Dat deed ze vroeger ook altijd, maar nu voelde het echt als een inbreuk.

'Wat doe je?'

'Je telefoon gaat,' zei ze, en ze plukte hem eruit. 'O.' Ze keek wie het was. 'Wie is Mike?' vroeg ze zangerig. 'Is dat die jongen?'

Ik griste de telefoon uit haar hand, keek naar Mikes nummer op het schermpje en wachtte tot hij op de voicemail schakelde. Ik was opgelucht dat hij belde, maar kon met geen mogelijkheid uitleggen wat ik op dit moment in Cawdor deed.

'Wat was dat?' vroeg Slutsky. 'Ruzie in het paradijs?'

Ik keek met halfdichtgeknepen ogen naar haar en realiseerde me tot mijn schrik dat het zo lang geleden was dat wij elkaar gesproken hadden dat ze helemaal niets meer van me wist. Ik zag geen mogelijkheid en ook geen reden om haar bij te praten. De laatste keer dat ik Slutsky gesproken had, was de belangrijkste mannenkwestie in mijn leven mijn vader geweest, die toen net opnieuw in de gevangenis zat. Ik moest denken aan de laatste ruzie die we hadden gehad, waarbij Sarah het lef had gehad om mijn vaders kant te kiezen, alsof zij nog meer met hem bevriend was dan met mij.

Wacht eens even. Misschien was ik helemaal aan het verkeerde adres. Zou het kunnen dat Tracy helemaal geen oude vriendin had bedoeld, maar een oude vriend, en dat dat mijn vader was? Op een goede dag was mijn vader altijd meer een soort maatje geweest dan iemand met gezag. Op een slechte dag, nou ja, dat waren de littekens die ervoor zorgden dat ik geen contact meer met hem zocht. Tot nu.

Het geval wilde dat mijn vader wel zo zijn connecties had – ethisch verantwoord of niet. Misschien was hij wel de enige die mij nu kon helpen.

Of misschien was het stom van me dat ik Tracy Lampert geloofd had. Misschien begon ik echt het spoor bijster te raken.

'Hé,' zei ik tegen Slutsky, terwijl ik heel overdreven op mijn horloge keek, 'ik moest er maar eens vandoor.'

Sarah keek het café door. 'Te veel spoken uit het verleden hier, hè?' zei ze. 'Oké, ik loop even met je mee naar buiten.'

Ik sloeg de rest van mijn SoCo achterover en liep achter Slutsky aan, via de krakende achterdeur van het café naar buiten. We liepen over de parkeerplaats met kiezelsteentjes, en we lieten allebei het verschil in geluid tot ons doordringen tussen het geroezemoes in het café en de stille avond buiten. In de donkerste hoek van de parkeerplaats wees Slutsky op een camper, met buiten een zacht brandende kerosinelamp.

'Ik ga even snel langs bij de handelspost,' zei Slutsky. 'Zin om mee te gaan?'

'Handelspost?' vroeg ik niet-begrijpend. Het zag er niet uit als een plek waar ik iets zou willen verhandelen.

'O Tal,' zei ze hoofdschuddend, 'je bent veel te lang weg geweest. Ze hebben alles: speed, Oxycontin – wat gebruik jij tegenwoordig?'

Een van de mannen stond tegen de camper geleund naar ons te kijken. Hij had een baard met vlechtjes erin en een halsband met scherpe punten om. Zijn armen zaten van zijn schouders tot aan zijn vingers onder de tatoeages.

'Ik denk dat ik maar eens ga,' zei ik zacht. 'Wees voorzichtig, oké?'

Slutsky knikte, alsof ze het script met mijn tekst al gelezen had. 'Natuurlijk,' zei ze schouderophalend, en ze boog zich naar me toe om me een kus op mijn wang te geven. 'Ik bel je, oké?'

Vanuit mijn auto zag ik haar silhouet achter in de camper van de handelspost klimmen. Ik was blij dat ik hier weg kon, maar voelde me ongemakkelijk over het feit dat ik wist dat ik nu toch naar mijn vader moest.

Ik besloot er nog een nachtje over te slapen, voordat ik iets impulsiefs deed, en reed weg. Plotseling was ik me heel erg bewust van het leren interieur van de auto, van het surround-sound stereosysteem en van de blinkende wieldoppen.

Daar zat ik, opgesloten in mijn verleden, terwijl ik opviel door mijn heden.

En over mijn heden gesproken: ik had Mikes berichtje nog steeds niet afgeluisterd.

'Ik weet niet of je vandaag op ons plekje hebt zitten wachten, maar als dat zo was, dan spijt het me. Ik had gewoon even wat tijd nodig om alles op een rijtje te krijgen. Niet boos zijn, oké? Bel me. Ik hou van je.'

Ik zuchtte en gooide de telefoon weer in mijn tas – maar toen ik dat deed, zag ik dat er iets opvallends ontbrak. Het gerammel van het flesje pillen. Ik zocht snel mijn rugzak door. Waar was het?

Ik wist dat ik het flesje bij me had gehad toen ik het café binnen was gegaan; ik had het namelijk gevoeld toen ik mijn drankjes betaalde. Ik liet het afgelopen uur de revue nog eens passeren en herinnerde me toen dat Slutsky in mijn tas had gezeten. Dat kreng had mijn pillen gestolen! En nu was ze die bij die ranzige handelspost aan het verkopen!

Ik trapte vol op de rem en keerde de auto. Toen daalde er een rust over me neer. Slutsky had mij net, zonder het zelf te weten, een gunst bewezen door mij de bagage af te nemen die ik niet zelf had weten kwijt te spelen.

Nou, ze mocht ze hebben. Ik hoopte alleen maar dat ze nu voorgoed waren verdwenen.

14 VERLOREN EN GEWONNEN

Toen ik wakker werd, was alles precies zoals daarvoor: ik had mijn dunne erwtjesgroene deken om me heen geslagen; de zon gluurde door het brede raam op het oosten, mijn vader lag te slapen in de gemakkelijke stoel in de woonkamer van de woonwagen, waar ik op het opklapbed sliep. Ik was suf, nog half in slaap.

'Pap?' zei ik. Mijn stem had een onderwaterachtige traagheid. 'Ik zet even koffie, oké?'

Stilte uit de stoel. Mijn vader had zijn armen boven zijn hoofd, met slaphangende polsen, en zijn wangen waren stekelig en opgeblazen. Eén schoen had hij bij de deur uitgeschopt, maar de ander bungelde nog in een vreemde stand aan zijn voet, alsof hij die verstuikt had. Over de achterkant van zijn hoofdsteun kroop een spin. Hij zag er zo griezelig uit dat ik mijn ogen niet van hem af kon houden. Het leek wel een eeuwigheid geleden sinds ik hem voor het laatst gezien had, maar het was maar een dag. Toch?

Ik ging voor hem staan en schudde aan zijn schouder. 'Pap!' zei ik, luider nu. Toen begon mijn hart sneller te slaan en draaide ik me om naar het achterste deel van de woonwagen. 'Mam!'

Ik wachtte tot ik mijn moeder in de slaapkamer even verderop aan de korte gang van de woonwagen in bed hoorde kreunen en bewegen. We hadden een vaste volgorde: ik riep nog een keer, zij liep tastend naar de deur en stak haar hoofd de gang in – soms met nog een blik achterom naar het bed. Het kon zijn dat er iemand bij haar lag – iedereen die bereid was om weer snel weg te gaan tussen het tijdstip waarop ik naar school vertrok en dat waarop mijn vader thuiskwam – hoe laat dat ook mocht zijn.

'Mam,' riep ik nog een keer. 'Hij is nu echt bewusteloos.'

Plotseling klemden de vingers van mijn vader zich om mijn pols. Ik keek omlaag en zijn ogen schoten open.

'Hou je mond. Er is hier helemaal niemand bewusteloos.'

Ik gilde, omdat hij me bang had gemaakt, omdat hij mijn pols te strak vasthield, omdat zijn adem stonk, omdat zijn lippen en zijn tandvlees blauw waren.

'Mam?' riep ik nog een keer. Mijn stem wiebelde door de benauwde kamer.

'Je moeder is er niet,' beet hij me toe. 'Ze vond het gisteravond niet nodig om thuis te komen.'

'Wat weet jij daarvan?' zei ik, en ik trok me los en haastte me naar de hoek van mijn bed.

Op dat moment schoot mijn vader uit de gemakkelijke stoel naar voren en kwam op me af. Ik had niet gedacht dat hij van de ene kant van de woonwagen naar de andere kon lopen, maar als hij me bang wilde maken, deed het er niet toe hoe brak hij was.

'Denk jij soms dat ik niet weet wat er in mijn eigen huis gaande is?'

Als hij zich helemaal oprichtte – wat zelden gebeurde – kwam mijn vader tot aan het lage plafond van de woonwagen. Hij stak zijn grote arm uit naar een van de flesjes met pijnstillers die over de keukentafel verspreid lagen, maar hij stopte om naar mij op te kijken. Ik voelde dat mijn lippen trilden. Ik wilde dat hij zijn ochtendportie, een handjevol, zou innemen. Het was voor ons allebei beter als hij ze gewoon slikte.

'Ik weet heus wel wat je moeder tegen je zegt,' zei hij zacht. 'Achter mijn rug praten alsof ik niet goed bij mijn hoofd ben. Denk je dat ik daarop zit te wachten?' Hij schroefde de dop van het flesje, maar in plaats van de pillen eruit te halen, gooide hij het hele geval keihard naar mij toe. Het flesje ketste af tegen mijn bovenbeen en de pillen vlogen over de grond.

'Denk je dat ik op jullie zit te wachten?' schreeuwde hij.

'Papa,' smeekte ik, en toen hij me tegen de muur drukte, kreunde ik. Hij greep me bijna bij mijn haar vast, maar toen ik wegdook om hem te ontwijken, struikelde hij naar voren en stootte hij zijn scheenbeen tegen het bed.

'Godverdomme, Tal,' kreunde hij, terwijl hij naar zijn been greep en op één voet naar zijn stoel hupste.

Ik pakte mijn paarse rugzak en trok teenslippers aan; het interesseerde me niet dat dit betekende dat ik voor de zoveelste keer in mijn pyjama naar school ging. Ik kon beter vandaag in een flanellen broek verschijnen dan morgen onder de blauwe plekken.

'Terugkomen jij!' brulde mijn vader, en hij rende achter me aan het erf van het woonwagenkamp op.

Ik bleef rennen. Ik keek pas om toen ik de dreun hoorde.

Mijn vader lag met zijn gezicht omlaag op de grond. Het was niet de eerste keer dat hij zo gevallen was, maar wel de eerste keer dat ik hem daar zo doodstil zag liggen, zonder dat hij overeind probeerde te komen. Hij was over de onderste tree van de woonwagen gestruikeld en hard terechtgekomen. Ik zag bloed uit zijn onderlip druppelen. Zijn oogleden fladderden even en toen was hij weer buiten westen. Ik voelde *aan zijn hals, draaide me toen om en zette het weer op een lopen.*

Later die dag kwam mijn moeder naar school om te vertellen dat de politie hem had meegenomen. Dat was de laatste keer dat we hem gezien hebben. Het was de eerste keer dat ik die oude belofte inloste om nooit meer over hem te praten.

Kon iemand veranderen? Absoluut niet.

Hij deed de deur al open voordat ik zelfs maar klaar was met aankloppen. Hij zag er kwetsbaar en moe uit; de huid rond zijn zilverkleurige ogen zag er los uit, net als bij een opa. Maar toen hij zijn armen naar me uitstak, bleken die onverwacht stevig.

'Tal-popje,' zei hij, in afwachting van een omhelzing.

Ik stond op het metalen trapje van de woonwagen van mijn oom Lewey, met mijn armen strak om mijn middel geslagen. Ik verzette me tegen de hevige aandrang om naar mijn vader toe te lopen en mijn hoofd tegen zijn brede borst te leggen. In plaats daarvan staarde ik naar het punt op zijn voorhoofd, pal tussen zijn ogen. Dat was een oude truc die ik tijdens de debatingles had geleerd – dat moet je doen als je zo zenuwachtig bent dat je iemand niet aan durft te kijken, maar je toch wilt laten blijken dat je alles onder controle hebt.

'Wat wil je?' vroeg ik.

'Ik wil je feliciteren,' zei hij, terwijl hij me met zijn knokige elleboog aanstootte. 'Mijn dochter de prinses. Niet dat ik er vreemd van opkijk, hoor.'

'Ik zit niet op felicitaties van jou te wachten.'

Mijn vader fronste zijn voorhoofd. 'Oké, maar dan moet je misschien "welkom thuis" tegen me zeggen. Ik ben natuurlijk nog met proefverlof, maar als ik me goed gedraag kan alles weer gewoon zoals vroeger...'

'Nee,' zei ik, en ik voelde die oude trilling in mijn stem terugkomen. 'Alles is nu anders. Mama en ik zijn veranderd. Wij zijn verdergegaan met ons leven.' Mijn stem klonk geforceerd, zo erg hoopte ik dat dit waar was.

'Kom binnen,' zei mijn vader, zonder verder acht te slaan op wat ik had gezegd. Hij hield de deur voor me open. 'Ik zal even thee zetten. Je ziet er mooi uit, maar niet gezond.'

Voor mijn vader bij ons was weggegaan en mijn moeder en ik waren verhuisd, had de woonwagen van oom Lewey drie deuren verderop gestaan. Dat was altijd één groot vrijgezellenfeest geweest. Ik verwachtte nog steeds dat ik er drugs en drank in overvloed zou aantreffen, en misschien dat er ook wel een onbekende vrouw in een hoek lag te slapen.

Maar toen ik die dag de woonwagen binnenstapte, vond ik het er bescheiden en schoon uitzien, met twee versleten placemats op tafel en in een plastic vaasje een zijden gele jasmijn. Het rook er naar ontsmettingsmiddel en scheerschuim. De lievelingsfoto van mijn vader hing nog steeds aan de muur boven de keukentafel. Die had mijn moeder aan de kade genomen met haar wegwerp-Kodak. Mijn vader, oom Lewey en ik poseerden voor een billboard met GEVANGEN IN CAWDOR, bedoeld voor de visser die het geluk had dat hij een vis had gevangen die meer dan vijftig pond woog. Op de foto hield oom Lewey zijn arm trots onder de kop van de vis, en mijn vader hield de buik omhoog. De foto was zes jaar oud, en hoewel ik het toen niet wist, had ik toen al onder mijn vader te lijden.

'Je ziet zeker wel dat het hier veranderd is,' zei hij die dag, terwijl hij in twee bekers een schep instant-theepoeder deed en er kokend water op schonk uit een elektrische waterkoker die op de vensterbank stond. 'Ik ben niet meer zoals vroeger. Mijn vrienden op het bureau zeggen dat ze me bijna niet meer herkennen.'

Ik rolde met mijn ogen. Als mijn vader het over zijn vrienden op het bureau had, bedoelde hij de agenten die in die korte periode na zijn arrestatie smeergeld van hem hebben aangenomen, voordat hij verdacht werd van verduistering. Want o, wat hadden ze veel voor hem betekend toen de ellende eindelijk aan het licht kwam. Ik kon gewoonweg niet geloven dat hij het überhaupt nog over ze wilde hebben.

'Hebben je vrienden op het bureau verder nog iets te melden, de laatste tijd?' vroeg ik, terwijl ik naar mijn thee bleef kijken.

'O ja, dat is waar ook.' Mijn vader knipte met zijn vingers. 'Jij zit nu aan die kant van de wereld.' Hij grinnikte. 'Weet je, als er iets ergs gebeurt met rijke mensen, is iedereen meteen in alle staten. Als ik het goed begrijp heeft de moeder van die dode jongen die nieuwe agent op een ware heksenjacht gestuurd.'

'Hoe bedoel je?' vroeg ik. Ik dacht dat brigadier Parker voor de school werkte, niet voor Justins familie.

'Ach, weet je, de familie heeft altijd liever dat een zaak opgelost is.' Hij zwaaide met zijn beker. 'Begrijpelijk,' zei hij. 'Maar die jonge agenten willen gewoon meteen de eerste de beste op de lijst in de kraag vatten. Het slechte nieuws is dat de eerste de beste op de lijst een jongen is die een alibi heeft voor de nacht waarin de moord is gepleegd.'

'O ja?' vroeg ik, en ik probeerde zo neerbuigend mogelijk te klinken, maar zonder mijn vader meteen helemaal de mond te snoeren. 'En hebben jouw vrienden op het bureau je ook nog de details van dat alibi verteld?'

'Moet je horen,' zei mijn vader lachend. 'Die jongen zat in een afkickkliniek. Hij had het zo druk met zichzelf drugs toedienen dat hij niet ook nog iemand anders drugs kon geven.'

Ik schudde mijn hoofd. 'Maar Baxter zat helemaal niet in een afkickkliniek,' zei ik. 'Hij was er op de avond van het feest zelf bij.'

Mijn vader knikte alsof hij dat allemaal al eerder had gehoord. 'Het was zo'n middernachtelijke deal,' legde hij uit, 'waarbij ze zo'n jongen terwijl hij ligt te slapen meenemen. Heel handig dat dat net in de nacht van het ongeluk is gebeurd, maar... wacht eens even...' Hij sloeg een andere toon aan. 'Wat deed jij eigenlijk op dat feest?'

'Alsjeblieft zeg. Je vaderlijke privileges ben je jaren geleden al kwijtgeraakt.' Ik wuifde hem weg. 'Met wie heb je het er trouwens over gehad? Met brigadier Parker? Weten ze wanneer Baxter eruit komt?'

Mijn vader keek me bevreemd aan. Hij nam langzaam een slok thee.

'Waarom ben je eigenlijk zo in die Baxter geïnteresseerd?' vroeg hij. 'Je hebt toch niks met die gast te maken, hè Tal?'

'Ik heb helemaal niks met die zaak te maken,' zei ik vlug en defensief.

Plotseling zag ik mezelf door zijn ogen. Hoe moest ik niet op hem overkomen, met mijn rode wangen, mijn adem in mijn keel, terwijl ik de ene vraag na de andere afvuurde tegenover iemand over wie ik had gezworen dat ik nooit meer een woord met hem wilde wisselen?

Ik stond op en schoof mijn kruk naar achteren. Hoe had ik ooit kunnen denken dat hij me met zoiets zou kunnen helpen?

'Ik maak me zorgen, popje,' zei mijn vader, met zijn hoofd schuin. 'Ik dacht dat je een leuke vriend had, die jongen van King.'

'Je blijft bij Mike uit de buurt en je blijft bij mij uit de buurt,' zei ik, en ik liep naar de deur. 'Je hebt je handen vol aan jezelf.'

Mijn vader stak zijn handen in de lucht, alsof hij 'ik geef me over' wilde zeggen.

'Ik ben je vader,' zei hij. 'En ik hou van je. Ik ben weer in je leven, en ik zweer je dat ik op het rechte pad blijf. Als ik iets voor je kan doen, kom je maar naar me toe.' Hij pakte me bij mijn arm. 'Kan ik iets voor je doen?'

Zijn hand op mijn arm voelde heel vertrouwd, heel ingewikkeld. Ik vond het vreselijk, maar kon mezelf niet losschudden. Hoe had hij me weer weten te vinden, terwijl ik zo ver bij hem vandaan was gegaan?

Maar ja, misschien begreep mijn vader wel als geen ander hoe ik zo diep in de nesten was geraakt. Misschien was het niet eens zo'n slecht idee om dit verhaal ook aan iemand anders te vertellen. Toen ik opkeek naar zijn zilverkleurige ogen, zag ik daarin dezelfde fonkeling die ik vroeger ook altijd in mijn ogen had. Ik deed mijn mond open en wilde gaan praten.

'Zeg nou maar gewoon wat ik voor je kan doen,' zei hij weer, maar zachter nu.

Het was die hunkering in zijn stem; die behoefte om voor iemand iets te kunnen betekenen, niet veel anders dan zoals de Bambi's die hadden, en ik zorgde er wel voor dat de Bambi's dat nooit vergaten. Mijn maag draaide zich om.

Mijn oog viel op iets achter hem. Een grote zwarte spin spon een web tegen het plafond van de woonwagen. En daarachter een keurige rij drankflessen, achter een doos muesli weggestopt. Ik keek naar mijn vader. Zijn straf bestond er voor een deel uit dat hij nuchter en clean moest zien te blijven. Plotseling zag ik in dat er niets was veranderd – alleen voor mij was er iets veranderd.

Ik trok mijn arm los.

'Ik ga,' zei ik. 'Je moet me niet meer bellen.'

Ik greep de deurknop vast en trok de deur open. Een koude windvlaag sloeg op mijn keel. Ik zette het op een lopen. Terwijl het geluid van mijn voeten over het trottoir bonkte, werd me steeds duidelijker hoe wanhopig mijn situatie was.

Mijn vader was mijn laatste kans geweest. En hij had me wederom in de steek gelaten.

15 DE ZWARTE SCHADUWEN VAN DE NACHT

Elke keer dat Mike en ik op ons geheime plekje aan de Cove afspraken, verliep het plan op dezelfde manier:

RENDEZ-VOUS, sms'te een van ons 's ochtends, en dan wist de ander wat dat betekende.

Om middernacht, bij de waterval, donkere kleren aan en heel stil doen.

Die dag had ik dat sms'je gestuurd, en ik voelde me heel zenuwachtig – wat ik anders nooit was – terwijl ik toch dezelfde code gebruikte die we al talloze malen hadden gebruikt. Het verschil was dat Mike en ik daar meestal gewoon naartoe gingen om te ontspannen en even samen te kunnen zijn. Voor die avond zag mijn agenda er wat ambitieuzer uit. De hele week had de ene ramp zich op de andere gestapeld, en terwijl ik de fragmenten van een plan in elkaar probeerde te passen, wist ik dat ik er pas echt in kon geloven als ik Mike er ook bij betrokken had.

OKÉ, was het enige wat hij terug had ge-sms't.

Toen de volle maan hoog aan de heldere, donkere hemel stond en mijn moeder terug was van haar vaste woensdagavond bowlen met de Zak – zo aangeschoten dat ze met kleren aan op bed in slaap was gevallen – trok ik een hooggesloten zwarte trui aan en glipte de nacht in.

We waren dol op deze waterval. Mike had hem als kind toevallig gevonden en kwam er zelf al jaren. Hij had me hier op ons derde afspraakje mee naartoe genomen, met een fles champagne en een picknickmand. Ik was hier op zijn verjaardag met hem naartoe gegaan, waar ik alle rekwisieten had klaargezet voor een rollenspel van Tarzan en Jane. Hier hadden we ons eerste meningsverschil, onze eerste keer, ons eerste jaar samen beleefd. En gelukkig was het ook de enige romantische plek in Charleston waar we nog nooit een ander stelletje waren tegengekomen dat daar stiekem ongezien probeerde te vrijen. Ik was er nu zo vaak geweest dat ik vrijwel zeker wist dat Mike en ik de enige mensen op aarde waren die überhaupt van het bestaan van de geheime waterval afwisten.

Om er te komen moest je je auto neerzetten bij de jachthaven tegenover het Isle of Palms. Dan liep je ongeveer anderhalve kilometer een rotsig, weggevaagd pad op, en dan kwam je bij de rij esdoorns en een dikke bos Spaans mos die de waterval aan het zicht onttrokken. Maar zodra je door het vruchtbare bos was, was het uitzicht al het gepuf en gesteun wel waard.

De waterval viel keurig langs een kalkstenen klif omlaag en kwam neer in een waterpoel die in het maanlicht bijna obsceen groenblauw was. Het was helemaal niet zo hoog – niets in de omgeving van Charleston kwam erg ver boven zeeniveau uit. Maar in de loop der jaren had zich pal onder de stroom een perfecte kalkstenen nis voor twee personen gevormd. Op een vroege avond, zoals nu, veroorzaakte een langzamere stroom water uit een nabijgelegen mineraalbron een verhullende waternevel waardoor je het gevoel kreeg alsof je in een droom zat.

Elke keer dat we naar de waterval toe gingen, was Mike er eerder dan ik. Hij liet altijd een spoor achter vanaf de plek waar het pad eindigde tot waar ik hem in de nis aantrof, want ook al was ik er zo vaak geweest dat ik het in mijn slaap nog zou vinden, toch zei Mike altijd dat hij niet wilde dat ik zou verdwalen. Dus dan strooide hij rozenblaadjes, chocolaatjes of vogelzaadjes; ooit had hij zelfs een paar boxershorts van hem in de takken gehangen, als vlaggen die me linea recta naar hem toe leidden.

Die avond lag er niks op het pad.

Mijn hart sloeg op hol bij de gedachte dat hij me nu voor de derde keer liet zitten, maar toen ik onder het gordijn van water naar de nis dook, was Mike er toch. Hij zat op onze rots, met zijn hoofd in zijn handen.

'Je hebt geen spoor voor me achtergelaten,' zei ik.

'Ik dacht dat je alles zo graag alleen wilde doen,' zei hij. Zijn zwarte overhemd hing over zijn schouders en zijn gezicht was zo wit als de maan. 'Bovendien,' zei hij verdrietig, 'hebben we niet al genoeg sporen achtergelaten?'

'Mike,' zei ik. Ik liep naar hem toe en hij stond op. We sloegen onze armen om elkaar heen en bleven zo even staan.

'Ik heb je gemist,' fluisterde ik.

'Het spijt me,' fluisterde hij terug, 'van laatst.'

Hij tilde me op en ik sloeg mijn benen om zijn middel. Toen zette hij me met mijn rug tegen de rotswand en drukte zijn lichaam tegen het mijne. We zoenden. Het duurde lang, het was opwindend en heel erg wij. Binnen in mij welde iets van opluchting omhoog.

Maar toen Mike zich van me losmaakte, deden we allebei onze ogen open, en toen wist de gevreesde, ongewone angst ons onder de waterval te vinden.

'Wat moeten we doen?' vroeg hij, terwijl hij me neerzette.

'Luister, ik heb alles helemaal uitgedacht,' zei ik, en ik liep met Mike terug naar de rots waar hij net had gezeten. Ik haalde een met folie afgedekt bord met mijn specialiteit, Carolina Bourbon-brownies, uit mijn rugzak, want daardoor kon Mike altijd goed nadenken voor een proefwerk.

'Wat hebben we daar nou aan?' vroeg hij.

'Eten om ons te helpen bij onze strategie,' zei ik, terwijl ik een goed doorbakken hoekstukje in mijn mond stak. 'Ik heb zitten nadenken: voor het geval het te moeilijk blijkt om die dvd van Baxter in handen te krijgen, hebben we een plan B nodig. Vandaar dat ik dé manier heb gevonden om brigadier Griezel onder de duim te houden.'

'Dat klinkt goed,' zei hij.

'Vind je?' zei ik, terwijl ik me naar hem toe boog. Alles stond of viel met de vraag of Mike met me meedeed of niet.

'Ja, wat dacht je dan?' Mike trok een wenkbrauw op – heel sexy. 'Na hoe die vent je laatst in de vissenkom heeft behandeld? Ik ben een en al oor.'

'Iemand heeft me verteld dat brigadier Parker zelf ook een paar belastende dvd's in zijn bezit heeft,' zei ik. Mike spoorde me aan en ik werd steeds zelfverzekerder. Ik wurmde mijn vinger door de sluiting van zijn overhemd en kriebelde over zijn ribbenkast. Dit was al een stuk beter. 'Ik ga zorgen dat we bewijs in handen krijgen van B.P.'s overtredingen,' zei ik. 'En als hij dan nog steeds niet meewerkt, moeten we zijn vuile was misschien buiten hangen.' Ik boog me naar hem toe voor de klap op de vuurpijl. 'In *De weg naar Palmetto*, die tijdens het gala wordt vertoond.'

Aangezien Mike en ik meer beeldmateriaal van ons tweeën uit de afgelopen drie jaar hadden dan welk ander stel vermoedelijk ook, verwachtte iedereen dat onze film van een Oscar-waardig kaliber zou zijn. Ruim voordat Palmetto de winnaars bekend had gemaakt, hadden wij de film al gemonteerd, dus we hoefden hem alleen nog in te leveren bij Ang, de vaste technisch medewerker van school, die hem doorlichtte om zeker te weten dat hij netjes genoeg was voor het galafeest. Ik was bijna net zo blij met onze film als met de kroon op mijn hoofd.

Dus de gedachte dat we onze dvd uit de speler moesten halen, bezorgde me een behoorlijke pijnscheut. Maar toen ik de geïntrigeerde blik op Mikes gezicht zag, wist ik dat het de opoffering waard zou zijn.

'Jij gaat het tijdsslot voor *De weg naar Palmetto* op het galafeest gebruiken om de sekstape van brigadier Parker te vertonen?' Hij lachte ongelovig. 'Ben je dat echt van plan? Maar je vond onze film juist zo mooi.'

'Maar de gedachte dat we de chanteur kunnen chanteren staat me ook wel aan,' zei ik.

'Nou, met die film moet dat lukken.'

Ik glimlachte. 'Na afloop is hij nog tammer dan een eend tijdens het jachtseizoen.'

Mike ging met zijn hand door mijn haar. Dat was zo lekker dat ik mijn ogen dichtdeed en gewoon even genoot van het eenvoudige genoegen van dat moment. Maar toen ik ze opendeed, zag ik dat zijn voorhoofd weer gefronst stond.

'Wat is er?' vroeg ik, terwijl ik rechtop ging zitten en zijn hand pakte. 'Wat heeft die blik te betekenen?'

Mike kuste mijn hand, maar zijn ogen stonden nog steeds bezorgd. 'Ik ben blij dat je iets bedacht hebt voor B.P. Ik bedoel, ik kan die vent wel vermoorden. Maar ik moet je iets vertellen.'

Ik knikte.

'Ik heb nieuws over Baxter,' zei hij.

'Hij zit in een afkickkliniek,' zei ik zonder op te kijken. 'Dat weet ik.'

'Ja, maar niet lang,' verzuchtte Mike. 'Hij is onderweg hierheen; hij is net op tijd terug voor het gala van vrijdag.'

Er gutste water uit de waterval, dat me dreigde te verstikken. Ik liet de brownie vallen.

'Van wie heb je dat gehoord?' vroeg ik. 'Waarom heb je me dat niet verteld?'

'Ik vertel het je nu toch?' Mike klonk defensief. 'Ik kreeg vandaag een brief van hem. Hij zegt dat hij weet wat we van plan zijn, Nat. Ik denk niet dat hij ons ermee laat wegkomen.'

'Maar... wat er gebeurd is was een ongeluk,' stamelde ik. 'Het was niet onze schuld!'

'Dat weet ik,' beaamde Mike. 'Maar wat er sinds J.B. allemaal gebeurd is, al dat plannen smeden...' Hij maakte zijn zin niet af. 'Realiseer jij je wel dat we iemand moord in de schoenen proberen te schuiven?'

'Natuurlijk realiseer ik me dat. Ik denk aan niets anders. Maar wat moeten we dan? Het wordt Baxters woord tegen het onze. Wie denk jij dat de school zal geloven?'

Mike deed een stap bij me vandaan. Hij wreef weer over zijn voorhoofd. 'We zitten er volgens mij tot over onze oren in.' Hij beet op zijn lip. 'Die brief is via Kate bij mij gekomen. Ik denk dat ze hem steunt.'

Ik kneep mijn ogen tot spleetjes. Dit was een ongewenste wending. Onder normale omstandigheden had ik Kate misschien even apart genomen om haar de les te lezen over hoe gevaarlijk het is om te veel van zo'n jongen als Baxter te verwachten. Dan had ik haar misschien aangeraden om haar verlies te beperken en verder te gaan met haar leven. Maar Kate had me in de verkeerde week nu al twee keer gedwarsboomd, terwijl Mike en ik de tijd noch de energie hadden om ons met iets anders bezig te houden dan met wat voor onszelf het beste was.

'Kate is een kinderachtige slet met te veel geld, en Baxter is een junk,' zei ik toen maar verontwaardigd. 'Ik geef je op een briefje dat ze, zodra ze afgeleid wordt door een andere jongen, het geen punt vindt om haar post te verlaten. Zolang Baxter huisarrest heeft zal ze echt geen echtelijk bezoek krijgen, hoor.'

'Oké,' zei Mike, 'dus...'

'Dus dat is afgesproken.' Ik gniffelde. 'Jij zorgt dat een van die footballvriendjes van je op het gala werk van haar maakt. Zorg dat hij haar naar huis brengt. Ik garandeer je dat het dan net is alsof Baxter Quinn nooit bestaan heeft.'

Mike knikte, maar hij begon weer moeilijk te kijken.

'Hé.' Ik legde mijn hand onder zijn kin. 'Weet je nog dat je zojuist zeer te spreken was over mijn meesterlijke vastberadenheid?'

Hij lachte een beetje verdrietig. 'Ja, dat weet ik nog,' zei hij.

'Ik ben het nog steeds, liefje. We zitten hier nog steeds samen in. Ik wil gewoon daar naast je staan, met die kroon op mijn hoofd. Ik weet dat jij dat ook wilt.'

'Ik weet het niet,' zei hij. Hij zei het snel en hij klonk nerveus. 'Ik wil gewoon bij je zijn, zorgen dat je je beter voelt, zorgen dat ik me zelf beter voel. Dat is het enige wat ik kan.' Hij schudde zijn hoofd. 'Maar de laatste tijd heb ik het gevoel dat ik helemaal niks meer kan. Ik hou van je en ik doe mijn best, maar ik weet niet wie je bent.'

Op dat moment realiseerde ik me pas hoe ver Mike en ik bij elkaar vandaan waren gedreven. We hadden nog nooit eerder ons best hoeven doen. Het was nog nooit eerder nodig geweest om de band te versterken, omdat we altijd gewoon samen waren. Onze vrienden noemden ons zelfs John en Yoko, en plaagden ons, want waar de een was, was de ander ook altijd.

Ik legde mijn hand op de gesp van zijn riem. Misschien was het een reflex. Ik kon niks anders bedenken wat ons samen kon houden, ook al wist ik ergens wel dat het niet goed was.

'Niet doen,' zei hij, en hij sloeg mijn hand weg.

Ik keek omlaag naar mijn hand alsof ik zojuist gestoken was. Ik voelde mijn gezicht betrekken. Mike had me weggeslagen. Hij bedoelde het niet zo. Dat kon hij niet.

Ik ging naast hem op de rots zitten en bracht mijn lippen naar de zijne. Hij kuste mij ook, maar het leek meer een reflex dan een verlangen.

Het was verschrikkelijk frustrerend. Ik sloeg mijn armen om zijn nek, kuste hem nog harder en stak mijn tong tussen zijn tanden. Ik wachtte tot er aan mijn onderlip getrokken werd, want dat was altijd het teken dat hij echt zin had... Maar dat kwam niet.

Een minuut later duwde hij me van zich af. Mijn hart ging als een gek tekeer.

'Het spijt me,' zei hij. 'Ik kan gewoon niet doen alsof er niks aan de hand is. Ik kan de gedachte aan wat we gedaan hebben maar niet van me afzetten.'

Ik zat verbijsterd op de rots, zonder dat ook maar enig lichaamsdeel van mij Mike aanraakte. Ik had het gevoel alsof hij me een klap in mijn gezicht had gegeven. Er stak een zacht briesje op, en plotseling realiseerde ik me dat mijn gezicht vochtig was. De tranen stroomden over mijn wangen.

'Natalie,' fluisterde hij, duidelijk bedroefd – wat het alleen nog maar erger maakte. Ik voelde heel vaag dat ik instortte. Binnen in mij knapte er iets. En toch bleef hij met zijn handen op zijn schoot zitten en raakte hij me niet aan. 'Niet doen.' Zijn stem brak, en toen begon ik pas echt flink te huilen.

'Ik kan er niets aan doen,' zei ik, terwijl ik met mijn mouwen mijn tranen depte. 'Ik kan... Ik kan dit gewoon niet alleen.'

Eindelijk draaide hij zich naar me toe en streek mijn haar achter mijn oor. Hij kuste me op mijn oogleden, zodat zijn lippen nat werden van mijn tranen.

'Je bent niet alleen,' zei hij. 'Ik ben bij je. Dat weet je.'

Ik probeerde diep adem te halen, maar het was al zo lang geleden dat ik echt gehuild had dat ik nu het gevoel had dat ik er geen controle over had. Ik was doodmoe. Echt dood- en doodmoe.

Hij streek mijn haar weer met zijn sterke handen naar achteren en schonk me eindelijk de glimlach waarnaar ik de hele week al had gehunkerd, al had ik het me niet gerealiseerd. 'Hier,' zei hij, 'ik heb iets voor je.'

'O ja?'

Ik veegde mijn ogen af en Mike pakte een grote witte doos, die achter hem stond.

'Ik weet dat je hierop hebt gewacht,' zei hij, terwijl hij me de doos gaf.

Toen ik hem opendeed, hapte ik naar adem. Ik was helemaal vergeten dat het de volgende dag Jasmijndag was. Ik zat al vier jaar te wachten op de spierwitte bloem die het privilege van de hoogste klas was, in plaats van de opzichtige, gekleurde bloemen die de lagere klassen droegen. En deze jasmijn was prachtig. Mijn ogen prikten, want er dreigden nieuwe tranen – in al deze ellende had Mike er toch nog aan gedacht. Hij hield nog van me. Ik was niet alleen.

En dan die jasmijn. Hij was echt beeldschoon.

Hij was zo groot dat ik er indruk mee kon maken, maar het ontwerp was toch heel smaakvol. Ik hield hem tegen mijn hart, waar ik hem de volgende dag zou dragen, op mijn tuinbroek, als ik naar school ging. In het midden zat een kroon met een opaal.

'Ik heb hem speciaal laten maken,' zei Mike. 'De Zak moest drie fabrieken bellen voor hij die kroon had. Het is de enige in de hele staat. Maar ik wist wat ik wilde,' zei hij. 'En dat heb ik gekregen.'

'Hij is prachtig. Heel koninklijk,' zei ik, en ik liet mijn tong in zijn mond glijden. Dit keer kuste hij me zacht terug.

'Is hij niet te zwaar voor je?' vroeg hij, toen we even stopten om op adem te komen.

Ik drukte mijn mond weer tegen de zijne, en was blij toen ik voelde dat hij aan mijn onderlip trok.

'Als jij me helpt de last te torsen,' zei ik, 'denk ik wel dat ik het red.'

16 DE SLANG ONDER DE BLOEM

'Heb je gezien wat Dubbel-D vandaag op haar tuinbroek draagt?' vroeg Jenny de volgende ochtend toen ik bij mijn kluisje stond.

Ik snoof en schikte wat aan mijn jasmijn, tot hij volkomen recht hing. 'Ik had niet gedacht dat ze zou komen. Hoe is ze aan een afspraakje gekomen?'

'*Au contraire*,' zei Amy Jane. Haar eigen jasmijn was opzichtig en bezaaid met glitters. Als je op een knopje in het hart drukte, lichtte hij op als een kerstboom. Zoiets zou ik nooit dragen, maar op de een of andere manier stond het Amy wel. Ze liet haar stem zakken en boog zich naar me toe. 'D.D. heeft geen date. Haar vader heeft uit medelijden een bloem voor haar gemaakt.'

'Natuurlijk,' zei Jenny, die zelf een jasmijn droeg die echt helemaal *old-school* en smaakvol was, met in het midden een zeldzame echte bloem. Jenny schraapte haar keel en knikte naar mijn jasmijn. 'Hij zal ook wel die kroon hebben geregeld die ze in het midden heeft zitten.'

'Wat?' Ik hapte naar adem. 'Mike zei dat die van mij de enige in de hele staat was.'

Amy Jane grijnsde en haalde een verkoelende gezichtsvernevelaar met kommommergeur uit haar tas. 'Uh, uh, uh,' zei ze vleiend. 'Vandaag geen gestress. Je moet zorgen dat je geen opgezet gezicht krijgt, voor de grote avond.'

'Ik ben de prinses. Dubbel-D is niet eens een onderknuppel.' Ik voelde dat mijn adem sneller ging, en ik hield me aan de onderkant van mijn kluisje vast om op de been te blijven. Normaal gesproken deed zoiets me niet zoveel.

'Ze flipt,' zei Jenny. 'Nat, je moet kalm blijven. De bloem van Darla is ordinair en lijkt in de verste verte niet op jouw...'

'Op die kroon na dan,' zei Amy Jane automatisch.

Zowel Jenny als ik wierp haar een boze blik toe. Ze haalde haar schouders op. 'Sorry,' zei ze, 'maar Jenny heeft gelijk. De bloem van Dubbel-D is in de kleuren van de school. Superordinair. Ze komt trouwens niet eens naar het feest vanavond; ze kan moeilijk haar vader als date meenemen.'

'Terwijl jij, prinses Nat,' zei Jenny opbeurend, 'de belle van het bal wordt. En wel' – ze keek op haar horloge – 'over minder dan zevenentwintig uur. Tenminste, als het aan mij ligt.' Ze klapte in haar handen en opende haar PDA. 'We zien elkaar morgen allemaal om vier uur, met onze kledingtassen en cosmetica, is dat afgesproken?' Amy Jane en ik knikten. 'De Bambi's komen helpen – niet jammeren, je weet best dat ze goed zijn in het slavenwerk...'

'Als we het footballteam mogen geloven, wel ja...'

Jenny rolde met haar ogen naar Amy Jane. 'Nat, heb jij Ari Ang nog die dvd gegeven van jullie verhaal over De weg naar Palmetto?'

'Natuurlijk,' zei ik, en mijn hart fladderde even bij de gedachte aan de alternatieve dvd die ik in mijn rugzak had gestopt en aan wat ik zou veroorzaken. Slutsky was bij nader inzien toch nuttig gebleken. Toen ik haar eenmaal tot de orde had geroepen over de pillen die ze uit mijn tas had gepikt, had ze me maar al te graag een ondeugende tape van haar en brigadier Parker 'geleend', uiteraard uitsluitend ten behoeve van mijn seksuele opvoeding.

'O, ik kan niet wachten,' piepte Jenny. 'Ik wil wedden dat het de beste De weg naar Palmetto is die deze school ooit heeft mogen aanschouwen.'

Ik keek haar stralend aan en knikte. Het zou gedenkwaardig worden, zoveel was zeker. En wat nog belangrijker was, na morgenavond zou ik geen last meer hebben van brigadier Parker. Ik hoefde vandaag alleen nog maar een minuutje te vinden om de projectorkamer van Ari Ang binnen te glippen en de dvd's te verwisselen.

De bel ging, en de meisjes en ik omhelsden elkaar.

'Fijne Jasmijndag,' riepen we elkaar onderweg naar de les toe.

Ik wist dat ik op weg naar Frans Mike bij zijn kluisje zou tegenkomen. Ik ging ongezien achter hem staan en legde mijn handen voor zijn ogen. Hij schrok op en draaide zich om, probeerde zich, toen hij zag dat ik het was, te herpakken en heel relaxt te doen.

'Sorry,' zei hij. 'Ik weet niet waarom ik zo schrok.' Hij keek omlaag naar de jasmijn, en zijn oude grijns trok over zijn gezicht. 'Hé... mooie bloem. Ik hoor de hele dag al iedereen zeggen dat die jasmijn zo mooi is. Nu begrijp ik waarom. Hij staat je prachtig.'

Hij tilde me op, en plette de jasmijn daarbij een beetje, maar dat interesseerde me niet eens. Ik gaf hem speels een zuigzoen in zijn hals en kirde.

'Ik ben zo blij dat alles weer goed is tussen ons,' zei ik.

'Sorry dat ik stoor,' klonk een stem achter ons. We maakten ons van elkaar los, en daar stond brigadier Parker, met zijn wenkbrauwen opgetrokken en zijn handen in zijn zij. 'Maar ik ben bang dat ik jullie toch moet vragen om het in de gang netjes te houden.' Hij schudde zijn hoofd naar mij. 'En ik dacht toch dat jij na ons gesprek van afgelopen week je les wel geleerd had. Misschien ben je een te grote sl...'

'Bek houden.' Mike hield zijn vuist gebald, en ik wist dat die onderweg was naar de kaak van brigadier Parker.

'Mike,' sprong ik tussenbeide, en ik duwde hen uit elkaar. 'Ophouden,' fluisterde ik. 'Hij heeft gelijk. We gaan gewoon naar de les.'

Ik sleepte hem mee naar onze laatste les, en we lieten B.P. woedend in de gang achter.

'Maak je geen zorgen, schatje.' Ik pakte Mikes hand. 'Nog even en dan hebben we geen last meer van hem.'

Maar in plaats van naar mijn lesuur Frans te lopen, zette ik Mike af bij zijn geschiedenislokaal en wachtte ik tot de gangen leeg waren. Toen glipte ik het audio/videolokaal binnen, met de dvd brandend in mijn tas.

Het was donker en koud in de raamloze studio, en ik botste tegen heel wat verrijdbare tv-standaards aan voordat ik een bureaulamp had gevonden. Ik had op Palmetto maar één keer mediales gevolgd, in mijn eerste semester hier, maar aan dezelfde krakkemikkige banden, het gescheurde projectiescherm en het raadselachtige pa-systeem te zien, zou je denken dat er de afgelopen drie jaar niet veel veranderd was in de wereld van de technologie. Ik waadde langs de gedateerde elektronica naar de zolder toe – een alkoof die boven de achterkant van de sportzaal uitstak. De volgende avond zou Ari Ang van hieruit het dansfeest van commentaar voorzien.

Ang was heel ordelijk, dus het moest niet moeilijk zijn om zijn keurig van een etiket voorziene multimediamap voor het gala te vinden. Ik had op mijn vervangende dvd al dezelfde Mike & Nat-sticker geplakt die ook op de echte *De weg naar Palmetto*-dvd zat, dus alles was voor de bakker.

Ik trok de dikke, geluiddichte deur naar de zolder open en liep naar binnen. Het was hier een wirwar van knoppen en knipperlichtjes, waar ik nooit iets van zou begrijpen, maar je had vanhier wel een van de beste uitzichten van de hele school. Het getinte raam boven het grote bedieningspaneel keek uit op de gymzaal, die weer uitkeek op het footballveld, waar we allemaal zo veel goede herinneringen hadden liggen.

Maar toen ik me naar het glas toe boog om naar buiten te kijken, schoot mij één specifieke herinnering te binnen – een herinnering die ik helemaal niet verwachtte.

Het grootste deel van het eerste semester in mijn eerste jaar hier had ik besteed aan mijn slotproject voor Media 101, een documentaire over de stad Charleston. Ik weet nog dat het me verbaasd had dat ik er zo in opging – misschien waren al die uren waarin ik in het audio/videolokaal beeldmateriaal zat te monteren een excuus om niet bij mijn moeder en haar toenmalige rijke vriend te hoeven zijn. Op een dag zat ik in de alkoof na school naar de definitieve montage te kijken toen Justin Balmer onaangekondigd binnen kwam zetten.

Ik had de geluiddichte koptelefoon op, dus ik merkte pas iets toen hij me op mijn schouder tikte. Ik draaide me zo snel om dat die bijna van mijn hoofd vloog.

'Oeps.' Hij klonk verbaasd. 'Ik was op zoek naar Amber. Sorry.'

Amber Lochlan was een cool, ouder meisje dat bij mij in de mediales zat, en die de Palmetto-prinses van dat jaar zou worden. Ze had hetzelfde korte donkere haar als ik, dus misschien dat je ons van achteren voor elkaar kon aanzien. Maar ik dacht graag dat mijn haar veel minder gevoelig voor vochtige lucht was dan dat van Amber.

Ik haalde mijn schouders op naar J.B. 'Ik heb haar niet gezien.'

'Hé, wacht eens even,' zei hij, en hij wees naar me. 'Ik ken jou.'

Ik bleef stokstijf zitten en probeerde mijn hoofd te schudden ten teken dat dat niet zo was. Ik was niet iemand die hij kende.

Er trok een glimlach over zijn lippen. 'Jij bent het nieuwe meisje dat mij telkens probeert te ontlopen. En dat maakt jou tot mijn volgende doelwit.'

'Bespaar je de moeite,' zei ik, en ik wurmde mijn koptelefoon weer op. 'Dat gaat niet gebeuren.'

'Au... wat gemeen.' Hij boog zich naar voren en kwam bijna met zijn lippen tegen de mijne. 'Ik weet zeker dat we elkaar in een ander leven hebben gekend. Je moet me nog een kans geven.'

Mijn lichaam tintelde toen hij me aanraakte, maar mijn geest schrok terug voor zijn brutaliteit. Na een paar hijgerige ademhalingen, dwong ik mezelf hem van me af te duwen.

'Nooit,' beet ik hem toe, zonder de fout te maken om er het woordje 'meer' achteraan te plakken.

J.B. keek me met halfdichtgeknepen ogen aan, en ik bleef doodsbang zo zitten, nadat ik mezelf ik weet niet hoe vaak had beloofd dat ik me nooit meer door een jongen klem zou laten zetten.

Ik herinner me vooral heel goed dat zijn gezicht op dat moment veranderde. De kleur trok eruit weg en zijn mondhoek begon te trillen. Hij zette grote ogen op, alsof hij bang was, maar net zo snel kneep hij ze weer tot spleetjes. Hij zei niets, maar stormde de zolder af met van die onhandige, denderende stappen die ik maar aan te veel testosteron toeschreef.

Nu, drie jaar later, zat ik weer alleen op die zolder, en ik huiverde. Ik was die dag te zeer door mijn eigen angst in beslag genomen geweest om te begrijpen wat er achter zijn overhaaste aftocht schuilging. J.B. had waarschijnlijk zijn medicijnen nodig gehad, zelfs toen al. Hij moest zodra hij uit het zicht was verdwenen die Trileptal ingenomen hebben, terwijl ik op mijn eigen manier mijn best deed om boven het bedieningspaneel weer tot mezelf te komen.

Ik trok de dossierkast open. Ik móést ervoor zorgen dat hij me verder met rust liet. Ik moest de volgende avond tot een goed einde brengen. En het zou geen goed begin zijn als ik betrapt werd terwijl ik in het audio/videolokaal rondsnuffelde. Ik doorzocht de dossiermappen en vond Ari's materiaal voor de volgende avond. In de groene map zaten playlists voor langzame nummers, playlists voor snelle nummers, scripts voor de docenten die iets zouden zeggen. En onze dvd, *De weg naar Palmetto.*

Dit was niet het moment voor sentimenteel getwijfel. Ik kon niet aan het openingsshot van ons tweeën, arm in arm langs Capers Beach, denken. Ik verwisselde de dvd's, stopte de originele in mijn rugzak en liep naar de deur.

De bel voor het tweede uur zou zo gaan, en ik kon nog steeds op tijd komen voor Engels. Ik struikelde weer de helverlichte gang in, liep de hoek om en kreeg bijna een hartaanval toen ik tegen Kate aan knalde.

'Wat doe jíj hier?' flapte ik eruit.

'Dat heet een pasje.' Ze zwaaide het gelamineerde kaartje voor mijn gezicht heen en weer. 'Wat voor excuus heb jij?' Ze keek me met halfdichtgeknepen ogen aan. 'Waarom ben je zo gespannen, prinses?'

Er klonk een nieuwe ijzigheid in haar stem door die me niet aanstond. Had ze me uit het audio/videolokaal zien komen?

'Mooie jasmijn.' Ik veranderde snel van onderwerp en trok aan een wel erg opzichtige paarse bel die aan haar bloem zat vastgemaakt. 'Heb je die van Baxter gekregen?'

'Mmm... min of meer,' stamelde ze. 'Hij kon de bestelling doorbellen. Ik ben hem gisteravond bij Duke gaan ophalen...' Ze maakte haar zin niet af en keek koeltjes naar me op. 'Ach, waarom zou ik me tegenover jou ook verantwoorden? Je hebt niet onder stoelen of banken gestoken hoe je over hem denkt.'

Ik zag met wat voor trots ze die kitscherige bloem droeg, en zuchtte. Mike en ik hadden al genoeg op ons bordje; we moesten de troon bestijgen én Baxter en B.P. ten val brengen. We konden niet ook nog hebben dat Kate naar het andere kamp overliep.

'Kate,' zei ik poeslief, terwijl ik mijn hand tegen haar wang legde, 'begrijp je dan niet dat ik alleen maar wil dat jij gelukkig bent? En... als een langeafstands-relatie vanuit een afkickkliniek voor jou gelijkstaat aan geluk... Nou, wie ben ik dan om daar een oordeel over te hebben?' Ik glimlachte en kneep ten afscheid in haar schouder. 'Ik zie je morgenavond.'

17 LICHTEN UIT, VERDOMME

'Mag ik u voorstellen,' las Jenny van haar briefje in de microfoon voor, ten overstaan van het voltallige leerlingenbestand, 'de prins en prinses van Palmetto: Mike King en Natalie Hargrove!'

Het was drie uur later, en ik was opgemaakt, in mijn lange donkerpaarse jurk gehesen en ik stond hand in hand met Mike achter het gordijn dat ons van onze onderdanen scheidde. We hadden allebei onze fonkelende kroon op. Ik voelde de energie van de hele school aan de andere kant van het gordijn. Als dat omhoogging, zou het publiek gaan juichen, en Mike zou me het podium op leiden voor onze wals – het startsein van het feest. Ik kon niet wachten.

Ik wist dat mijn jasmijn in een glazen vitrine lag, onder een spotje op het toneel, zodat de rest van de school hem van dichtbij kon komen bewonderen. Ik wist ook dat in een videoprojector achter in de zaal de wel heel verrassende dvd op zijn première lag te wachten.

'Ben je er klaar voor, liefje?' Mike kneep in mijn hand.

'Ik ben er al heel lang klaar voor,' zei ik.

Uit de orkestbak steeg tromgeroffel op, en het glinsterende paarse gordijn ging voor ons omhoog. Mike en ik knipperden tegen het felle licht dat op ons neer scheen. Ik hield mijn adem in. De gymzaal was stampvol; iedereen die we kenden was er, omgetoverd in de mooiste versie van zichzelf. Aan het plafond hingen zware slingers met parels, waardoor het een soort iriserende tent leek. De muziek voor de klassieke Palmetto-wals begon, en Mike draaide zich naar me toe en grijnsde.

'Mag ik deze dans van u?' vroeg hij.

We hadden dit al honderd keer geoefend – in Mikes kamer, in de gangen van school, onder de tribune, als voorspel. Maar toen we begonnen te dansen, realiseerde ik me dat we sinds het incident met J.B. niet één keer meer hadden geoefend. Het leek er heel even op dat we ons dit allebei op hetzelfde moment realiseerden, en we keken elkaar een beetje angstig aan. Maar toen kwamen de passen wonderbaarlijk genoeg weer bij ons allebei terug, net zo natuurlijk alsof we de hele week non-stop hadden gerepeteerd. Het licht was zo fel dat ik niemand in de zaal kon zien, maar ik kon me al hun gezichten wel voorstellen, omhooggedraaid en glimlachend kijkend naar onze eerste dans.

'Een applaus voor het prinselijk paar,' riep Jenny toen het nummer ten einde was. Er werd luid en hartstochtelijk geapplaudisseerd. 'Dan nodig ik jullie nu uit om allemaal de dansvloer op te komen en lekker uit je dak te gaan.'

Mike liet me nog één keer in een lift ronddraaien en boog me toen achterover voor een kus.

'Iets drinken?' vroeg hij.

'Iets drinken.'

We liepen snel naar achteren, waar de reusachtige schalen stonden met door de kantinejuffrouw gemaakte alcoholvrije punch, waar het team sportprotégees van Rex Freeman standaard alcohol doorheen deed.

'Dat is me nogal een operatie, Rex,' zei ik lachend.

Hij haalde zijn schouders op. Hij had een kop als een boei, net zo rood als zijn haar. 'Ik kan het niet allemaal in m'n eentje doen,' zei hij. 'Twee stevige borrels voor de prins en prinses!' riep hij naar zijn medewerkers.

De drankjes werden gebracht, en Mike en ik gingen in een hoge nis zitten en keken hoe het feest voor ons op stoom kwam. Iedereen zag er waanzinnig uit. De meisjes hadden allemaal hoog opgestoken haar en droegen opvallende kleuren. De jongens droegen een stijlvolle smoking met een pochet in de kleur van de jurk van hun date.

'Dit hadden we echt even nodig, hè?' zei Rex, met een zeldzaam oprechte klank in zijn stem. 'Ik bedoel, na de afgelopen week moesten we allemaal even los kunnen gaan.'

Mike en ik keken elkaar aan en knikten.

Rex gaf ons allebei een klap op de schouder. 'Het is aan jullie te danken dat alles weer op de rails is. Een andere prins en prinses was dat misschien niet gelukt. Jullie hebben er deze week voor gezorgd dat iedereen op de been is gebleven.'

'Bedankt, man,' zei Mike, en hij legde zijn hand op die van Rex, maar bleef mij wel aankijken. Rex keek omlaag en schuifelde wat met zijn voeten. Toen hij weer opkeek, was zijn ernstige blik verdwenen en had hij weer die vertrouwde hitsige glans in zijn ogen.

'Nou, ik voel me nu wel een beetje stom,' zei hij. 'Ik keer weer terug naar mezelf door te kijken of ik een stukje van die Bambi daar kan afbreken.'

Toen hij weg was, legde ik mijn hoofd op Mikes schouder. Hij moest lachen. 'Moet je kijken wat er op de dansvloer gebeurt. Mijn harde werken werpt zijn vruchten af.'

Ik keek de kant op die Mike aanwees en zag Kate, in een roze cocktailjurk, die met een lange onbekende footballspeler met donker haar stond te zoenen.

'Wie is dat?' vroeg ik.

'Wat maakt het uit?' zei Mike. 'Het is in elk geval niet Baxter Quinn. Rex zei dat Baxter het gore lef heeft gehad om vanavond ook te komen...'

'Wát?' Ik slaakte een kreet.

'Maak je geen zorgen,' zei Mike, en hij wreef me in mijn nek. 'Hij is de deur niet door gekomen. Hij stonk blijkbaar naar whisky, en Glass heeft hem linea recta teruggestuurd naar zijn reclasseringsambtenaar.' Hij wees weer naar de dansvloer, waar de footballspeler zich tegen Kate aan drukte. 'Die gast gaat vanavond zo te zien spijkers met koppen slaan.'

Alles viel op zijn plaats. Brigadier Parker mocht dan voortdurend leerlingen uit elkaar halen die op de dansvloer een beetje te ver gingen, maar ons viel hij in elk geval niet lastig.

Voor we het wisten werden Mike en ik weer het podium op geroepen, waar het danscomité twee tronen voor ons had neergezet, waarop wij moesten plaatsnemen, terwijl iedereen naar onze film *De weg naar Palmetto* zou kijken... Althans, dat dachten ze.

Directeur Glass kwam het podium op.

'Ik zal het kort houden,' zei hij monotoon.

'Ja, graag!' brulde iemand vanaf de dansvloer.

'Ik wil alle leerlingen feliciteren,' ging Glass onverstoorbaar verder, 'met de volwassenheid en gepastheid die ze in deze moeilijke week hebben getoond.'

'Ik zal je eens laten zien wat gepast is, klootzak!' schreeuwde de bruller weer.

Wauw. Ik vond het prima om op directeur Glass te vitten, maar het verbaasde me dat iemand zo agressief kon zijn. Ik probeerde te bedenken wie zoiets zou durven... Ik hoopte van harte dat Baxter Quinn zich toch niet op slinkse wijze naar binnen had weten te werken.

Waarom legde Glass de menigte niet het zwijgen op?

'Ik weet dat iedereen op zijn eigen manier de dood van Justin Balmer zal blijven verwerken. Hij is elke dag in ons hoofd en in ons hart.'

'Sodemieter toch op, man!'

Wacht eens even, ik herkende die stem. Een beetje jongensachtig, met een heel licht accent. Maar nee, dat kon niet. Ik keek naar Mike om te zien of hij hetzelfde dacht als ik. Hij keek naar me en glimlachte. Hoorde hij het dan niet?

'Ik wil alle leerlingen bedanken dat ze zo goed met onze fantastische brigadier Parker hebben meegewerkt,' zei Glass.

'Wie is er allemaal anaal gefouilleerd?' joelde de stem uit het publiek.

Ik stond op van mijn troon en liep naar voren. Ik moest weten waar de stem vandaan kwam.

'Nat,' fluisterde Mike. 'Ga zitten. Wat doe je?'

'Ik moet hem vinden,' fluisterde ik terug.

'Daar lijkt het me nu niet het moment voor. We handelen B.P. later wel af.'

'B.P. niet,' zei ik. 'Dat is de stem van... van...'

J.B.

Ik struikelde koortsachtig naar achteren en viel op handen en knieën op de grond, vlak voor de troon. Justin liep naar ons toe, maar zijn voeten raakten de grond niet. In plaats daarvan gingen zijn stappen langzaam over de hoofden van de rest van de leerlingen heen. Het was net alsof hij van binnenuit verlicht werd. En wat zag hij er sexy uit in die smoking! Hij had een pochet achter zijn revers gestoken – dezelfde kleur paars als mijn jurk.

Hij stak zijn handen naar me uit, alsof hij me die aanbood, maar toen zag ik dat die vastgebonden waren met een touw en één lange, snelgroeiende sliert Spaans mos. In allebei zijn handen had hij een berg pillen.

'Maak me los,' zei hij geluidloos, en zijn felgroene ogen boorden zich in de mijne.

'Nee!' gilde ik.

Directeur Glass grinnikte in de microfoon. 'Kom Natalie, niet zo bescheiden. Ik heb de eer gehad om jullie documentaire van tevoren al te bekijken, en ik kan met een gerust hart zeggen dat ons allemaal iets heel moois te wachten staat.'

'Hij is hier. Hij kijkt naar ons,' jammerde ik. Waarom deed niemand iets aan J.B.? 'Hij gaat...'

Mike stond op en legde zijn arm om me heen. 'Ze bedoelt Justin,' legde hij het publiek kalm uit. 'Natuurlijk waakt hij vanavond over ons, liefje,' zei hij zacht, maar wel zo hard dat iedereen het verstond. 'Nat is gewoon doodmoe. Ze is niet helemaal zichzelf. Wij allemaal niet,' zei Mike met een knikje.

Ik hoorde de rest van de school fluisteren. Mijn borst zweette en ik zag rode sterretjes voor mijn ogen. Daarvoor zweefde J.B., pal boven ons hoofd. Hij stak zijn hand uit naar Mikes kroon.

'Je mag hem hebben,' schreeuwde ik, en ik trok de kroon van Mikes hoofd. 'Hier, en neem de mijne ook maar!'

Mijn kroon zat aan mijn haar vastgemaakt; iemand was een uur lang bezig geweest er heel zorgvuldig spelden in te steken, en er was op z'n minst een hele bus haarlak aan te pas gekomen. Het kostte me al mijn kracht en de helft van mijn haarzakjes om de kroon van mijn hoofd te rukken.

Maar toen was ik er ook voorgoed van af.

Ik gooide allebei de kronen als met sterren bezaaide frisbees zo ver mogelijk van me af. In de ademloze stilte die toen viel, kletterden ze op het podium voor ons neer.

'Ik krijg geen adem,' zei ik, en ik greep naar mijn keel. 'Ik heb de kroon afgezet, en ik krijg nog steeds geen adem. Wat wil je nog meer van me?'

Toen tilde Mike me op en droeg me het podium af.

'Veel plezier met de film,' riep hij nog naar het publiek.

'Wat is er in godsnaam met je aan de hand?' fluisterde hij toen we alleen achter het gordijn waren.

Ik keek om naar het podium en hoorde directeur Glass zenuwachtig stamelen. 'Iedereen rustig blijven, alsjeblieft.' Net op dat moment kwam mijn kroon rollend in het midden van het podium tot stilstand.

18 DAT WAT WIJ KAPOTMAKEN

'Is mijn kroon hier?' vroeg ik aan de aardige mevrouw die maandagochtend achter school over de vuilnisbak gebogen stond. Ik had hier altijd alleen maar leerlingen gezien, maar het was fijn om gezelschap te hebben.

'Zoek je eigen schatkist, prinses,' beet ze me sarcastisch toe. 'Dit is mijn terrein.'

Toen ze haar hoofd weer in de vuilnisbak stak, zag ik dat ze een veel te groot nylon joggingpak droeg en van die slippers die je krijgt als je een pedicurebehandeling hebt ondergaan. Maar toch benijdde ik haar om de vastberadenheid die in haar stem doorklonk. Ze wist wat ze wilde. Ze wist waar ze recht op had. Dat deed me denken aan iemand die ik van vroeger kende...

'Hé!' Ze kwam weer omhoog en hield een smerige visgraat omhoog, die ze als een vinger voor mijn gezicht heen en weer liet zwaaien. 'Jij bent toch die griet die dat wedstrijdje gewonnen heeft, koningin van het een of ander? Hoor jij niet in de les te zitten?'

Ik snoof de al te bekende vissengeur op. 'Ik was op zoek naar mijn kroon,' zei ik. 'Die ben ik kwijt.'

'Hier.' Ze lachte en zocht in de vuilnisbak. 'Doe deze maar op.'

Ze haalde er een narrenmuts uit tevoorschijn, waar nadat iemand hem naar het Mardi Gras-feest had gedragen niet veel meer van over was, en wierp me die toe. Er zat iets groens op, dat zuur rook. De muts landde met een vochtige klap tegen mijn borst. Ik plukte hem van mijn oude Palmetto-sweatshirt en hield hem voor me.

'Staat je goed,' boerde ze, voor ze op een bak kippenpootjes aanviel die in de vuilnisbak was gegooid. 'Als je me dan nu wilt excuseren, want het is tijd voor mijn ontbijt.'

'Prima,' zei ik met een knikje, en ik liet de muts vallen. Ik hoorde in de verte een bel gaan, en toen wist ik het weer: ik moest wel nog naar school.

Ik was Natalie Hargrove, en ik liet me in mijn eerste week als de gevallen Palmetto-prinses al door de dak- en thuislozen van modeadviezen voorzien.

'Gatver,' zei ik, en ik liet de muts vallen en rende naar binnen om mijn handen te wassen.

'Jezus, wat stinkt hier zo?' zei Kate Richards toen ik de dichtstbijzijnde wc binnenstormde. Ze kneep haar neus dicht.

'Bek houden, Bambi's,' zei ik, waarbij ik Kate voor het gemak daar ook maar toe rekende. Ik draaide de warmwaterkraan open. 'Opzij.'

'Ranzig. Met alle plezier,' zei Steph Merrit, en ze maakte plaats. 'Wil je een borstel of zo lenen?' vroeg ze.

Ik keek naar mezelf in de spiegel. Het zou kunnen dat het al een paar dagen geleden was sinds ik voor het laatst gedoucht had. Mijn haarwortels zagen eruit alsof je ze door de sla kon doen. En dit sweatshirt paste nog steeds niet bij mijn donkergroene spijkerbroek, ook niet met die groene-narrenmutsvlek erop. En ik wist dat als mijn moeder op dit moment mijn vlekkerige foundation kon zien, ik waarschijnlijk huisarrest kreeg.

Maar ik wilde geen liefdadigheid, van niemand niet; niet van de zwervers buiten, en niet van de Bambi's met hun borstels.

'Nee, niet nodig, hoor,' loog ik voor zo ongeveer de honderdste keer sinds ik vrijdagavond op het gala was ingestort.

Het was een lang weekend geweest. Mike kwam langs, maar ik wilde hem niet zien. De telefoon ging, en die zette ik uit. Mijn moeder klopte op mijn deur, en die deed ik op slot. Het enige wat ik kon doen was naar onze oorspronkelijke *De weg naar Palmetto*-dvd kijken, die ik op repeat had gezet, en me het hoofd breken over wat er op het gala gebeurd was nadat ik was weggegaan.

Bovendien wist ik niet hoe ik het feit dat ik een geest had gezien moest uitvlakken. Het leek een kwestie van tijd, en dan zou J.B. terugkomen en me weer lastigvallen – voor eeuwig en altijd.

Deze ochtend was te snel aangebroken, en nu begon me te dagen dat ik twee identiteiten had: je had de Natalie die deze Bambi's voor zich zagen – haveloos, afgepeigerd, ongewassen. De gevallen Natalie. En dan had je nog mijn echte ik – de ik die maar met één ding bezig was, en dat was wachten tot J.B. terugkwam.

Ik verliet de wc's en liep verdoofd de gang op. Ging ik nu echt naar mijn eerste lesuur, waar ik zou plaatsnemen, mijn map met het embleem van Palmetto zou openslaan en aantekeningen zou maken? Moest ik echt nog een week die geruchten verduren?

'Nat.' Ik voelde dat iemand me op mijn schouder tikte. Het was Amy Jane; ze keek bezorgd. 'Ik heb je het hele weekend geprobeerd te bellen.'

Ik knikte, maar zei niets.

'Ik probeer een vertoning van jullie *De weg naar Palmetto*-film te organiseren, en ik moet weten wanneer jij kunt.'

'Dat hoeft niet,' mompelde ik.

'Natuurlijk wel. Mike en jij hebben er zo hard aan gewerkt. Dat jullie grote moment niet is doorgegaan omdat jij een slecht getimede daling van je bloedsuikerspiegel had... Eh... is dat erwtensoep op je trui?'

'Wacht.' Mijn hoofd vloog omhoog. 'Wat zei je nou net? Hebben ze die film vrijdagavond dan niet laten zien?'

'Natuurlijk niet.' Amy schokschouderde. 'Het leek niet netjes om dat te doen zonder dat het prinselijk paar erbij was. Toen jij was flauwgevallen, is de rest langzaam maar zeker vertrokken.' Ze boog zich naar me toe. 'Gaat het wel met je? Je pupillen zijn een beetje groot.'

'Wil je me nou vertellen dat Ari hem niet heeft afgespeeld?' Ik greep de banden van mijn rugzak vast om mezelf wat houvast te geven.

Amy Jane knikte en beet bezorgd op haar lip.

Dus alle oude vijanden waren er nog steeds. Er was die vrijdagavond helemaal niets bereikt. En nu kon Baxter elk moment zijn gedrogeerde kop weer opsteken. Gezien de wispelturige reputatie van Kate Richards kon hij haar zo weer om zijn vinger winden. Erger nog: ik had geen onderpand om brigadier Parker te dwingen om Baxter in te rekenen in plaats van mij. Vrijdagavond had zich één glansrijk moment voorgedaan waarop alle sterren goed stonden om Mike en mij uit de gevarenzone te houden. Door toedoen van de geestverschijning van J.B. was alles zomaar door onze vingers geglipt. We zouden helemaal opnieuw moeten beginnen. Op dit punt aangekomen wist ik dat we geen schijn van kans maakten.

'Dus kan ik je opschrijven voor woensdag vier uur, donderdag zes uur of vrijdag... Nat?' riep Amy Jane me na. 'Waar ga je naartoe?'

Ik sloeg de hoek om naar de gang waar Mike en alle andere footballspelers hun kluisje hadden. Dat van hem was leeg.

'Waar is Mike?' vroeg ik aan het eerste de beste groepje leerlingen dat ik tegenkwam. Ik wist niet hoe ze heetten, maar zij kenden mij natuurlijk wel en ze wisten ook wie mijn vriendje was. Maar in plaats van mij wat voor behulpzaam antwoord dan ook te geven, schoot de hele groep zenuwachtig weg, zodat ik tegen de kluisjes aan gedrukt werd.

'We weten het niet,' riep een van hen. 'Doe ons niets!'

'Nooit van gehoord dat het niet altijd gunstig is om iets niet te weten?' zei ik vinnig, en ik liep door.

'Juffrouw Hargrove, heb je even?' Het was de secretaresse, mevrouw Runner. Ze stak uit het niets haar hoofd om een deur. Ik sprong op alsof ik weer een spook had gezien.

'Of ik even heb?' zei ik haar na.

Ze krabde aan haar kin. 'Directeur Glass wil je even spreken, in zijn kantoor,' zei ze. 'Nu.'

'Ik...' Ik keek om, door de glazen scheidingswanden van de vissenkom, en zag brigadier Parker vlak naast de directeur staan. Er was ook nog een andere politieagent bij.

Mijn hart begon zo hard te hameren dat ik nauwelijks nog kon nadenken. Was het voorbij? Wisten ze het?

'Ik kan niet,' zei ik toen maar, en ik deed een stap naar achteren, en toen nog een. 'Ik heb... een andere afspraak.'

'Neem me niet kwalijk?' zei mevrouw Runner. Ze mocht dan nog zo'n ondankbare baan hebben, ik kon me niet voorstellen dat het haar wel vaker overkwam dat een leerling domweg 'nee' tegen haar zei.

'Zeg maar tegen Glass dat ik me moet excuseren,' zei ik, en ik liep snel langs haar heen. 'Het spijt me.'

Ik had inderdaad een andere afspraak. Ik kon maar één persoon bedenken die me misschien uit deze opgejaagde toestand kon verlossen. Ik liep met twee treden tegelijk de trap op naar de wc's van de eersteklassers.

'Tracy,' zei ik, toen ik naar binnen stormde. Een groepje fluisterende eersteklassers stoof uiteen en keek me aan. 'Ik moet je spreken.'

Plotseling waren er wel heel veel gepiercete, opgetrokken wenkbrauwen aanwezig.

Tracy zat in kleermakerszit op de grond. Ze had de vlechten uit haar lange zwarte haar gehaald, en het hing nu tot vlak op de grond. Haar groene zonnebril leek een barrière tussen ons te vormen die ijziger was dan anders. Ze keek op haar horloge. 'Sorry, maar de bel gaat zo.'

'Dan ga je niet naar de les,' zei ik toonloos.

'Ik ben nu de kaarten voor iemand anders aan het lezen,' zei ze koeltjes.

'Waarom kom je tussen de middag niet terug?'

'Ik dacht het niet; ik ben hier nu.' Ik durfde niet nog een keer in de spiegel te kijken, maar ik vroeg me plotseling af of het soms minder effectief was om mijn poot stijf te houden en me op mijn privileges als leerling uit de hoogste klas te beroepen als ik er zo uitzag als nu.

We bleven elkaar ruim dertig seconden zo aankijken, tot de andere eersteklassers ongemakkelijk begonnen te worden, hun tassen van hennep pakten en aan hun dreadlocks trokken.

'Weet je wat, Tracy?' zei Portia Stead, terwijl ze haar blote bruine schouders ophaalde. 'Wij komen in de volgende pauze wel terug.'

'Nee,' zei Tracy, en ze klonk nerveus. 'Waarom blijven jullie allemaal niet gewoon...'

Maar de meisjes liepen snel de wc uit en even later waren Tracy en ik alleen. Ze schudde haar hoofd naar me.

'Wat is er met jou gebeurd?' vroeg ze. Ze zei het niet met de walging die ik die ochtend bij de Bambi's had gehoord, en zelfs niet zoals Mike het vrijdagavond had gezegd. Tracy vroeg het met oprechte verwondering.

'Ik weet het niet,' bekende ik, en ik zeeg neer op een van de zitzakken op de grond. Het was heerlijk om even te ontspannen, achterover te leunen en mijn ogen dicht te doen.

'Schud de kaarten,' zei ze.

Toen ik mijn ogen opendeed, zag ik dat ze me een spel tarotkaarten toestak. Ik had al heel vaak gezien dat ze andere meisjes de kaarten las, maar had er zelf nooit echt in geloofd. Haar voorspellingen aan mijn adres gingen altijd gewoon mondeling, want het lukte Tracy op de een of andere manier altijd om als eerste een roddel te horen te krijgen en die grondig op leugens te doorzoeken, beter dan wie dan ook op Palmetto. Maar als ze zich die dag in de meer ernstige onderwerpen wilde verdiepen, mij best.

Ik pakte het spel kaarten van haar aan, deelde het in tweeën en liet haar delen. Ik verwachtte bijna een soort magische tinteling te zullen voelen als ik ze aanraakte, maar het was net alsof we gingen kwartetten.

Tracy legde zes kaarten in twee rijen van drie neer. Ze keek er een paar minuten naar en ging met haar vingers langs de randen. Haar lippen bewogen, maar er kwam geen geluid uit. De bel ging, en toch bleven we allebei zitten.

'Ik weet niet wat je gedaan hebt,' zei ze op een gegeven moment, 'maar je hebt een heel slecht geweten.' Ze kneep haar ogen tot spleetjes en wreef over haar voorhoofd. 'Het zat je allemaal mee, maar toen heb je misbruik van iemand gemaakt, van iemand die kwetsbaar was.'

Mijn keel voelde kurkdroog. Ik kon niet slikken. Ze keek naar me op. 'Dat ben ik niet, die hier praat, Nat, oké?'

Ze schraapte haar keel. 'Je eh... je hebt bijna geen mensen meer om je heen die je kunt vertrouwen.'

'Nou, zeg dan wat ik moet doen,' zei ik. 'Lees de kaarten en vertel me hoe ik het kan oplossen. Ik kan ze heus nog wel terugkrijgen.'

Tracy beet op haar lip. 'Sommigen zijn er al niet meer,' zei ze langzaam.

'Je moet me helpen, Tracy. Jou vertrouw ik.'

Ze haalde haar schouders op en schudde haar hoofd. 'Ik kan je verder niets vertellen, Nat. Ik zie alleen maar wat er in de kaarten staat.'

'Lees ze dan nog een keer,' probeerde ik. 'Hier, ik schud ze wel.'

'Je weet best dat het zo niet werkt.'

'Dat weet ik niet,' hield ik vol. 'Ik weet helemaal niets meer.'

'Je weet best dat je drastische maatregelen moet nemen,' zei ze. 'Duidelijk. Je komt er wel achter wat je moet doen om hieruit te komen.' Ze hield haar hoofd schuin. 'Anders kom je er namelijk niet uit. Maar ik ben bang dat je het dit keer echt helemaal alleen moet doen.'

Buiten toeterde een auto, en Tracy keek weer op haar horloge.

'Ik moet nu echt gaan,' zei ze, en ze stond op. 'Jij weet als geen ander dat mannen het vreselijk vinden als ze moeten wachten.'

Ik dacht aan Mike, die ik het hele weekend min of meer had laten wachten. En nu ik eindelijk naar hem toe wilde, was hij nergens te vinden. Ik moest weten of ik het na vrijdagavond echt bij hem verbruid had, maar tegen de tijd dat ik die vraag voor mezelf had geformuleerd, had Tracy het raam al opengeschoven en wurmde ze zich naar buiten.

'Wacht!' riep ik.

Ze liet zich stap voor stap langs een paar bakstenen omlaagzakken, liet haar voeten toen zakken en sprong op de grond, één verdieping lager, waarbij haar zonnebril naar het puntje van haar neus gleed. Toen ze naar me opkeek, realiseerde ik me dat ik nog nooit eerder haar ogen had gezien. Haar irissen hadden een wilde, rokerig paarse kleur, en ze hadden iets heel bijzonders... Bijna iets mistigs, als wolken die na een storm over de baai trekken.

Ze gaf me nog één laatste lange en overdreven knipoog, en drukte toen snel de bril weer voor haar lichtgevende ogen. Een tel later glipte ze tussen de cipressen door naar de straat.

Op de oprit stond een witte camper geparkeerd, en ze trok de deur open en klom erin. Ik bevond me op twintig meter afstand en ik keek door een raam dat zo lang onze school bestond misschien nog nooit was schoongemaakt, maar toch zag ik dat de camper waar Tracy op dat moment instapte precies dezelfde was als waar Slutsky die avond bij het café in was gestapt. De handelspost voor drugs reisde blijkbaar rond. De moed zonk me in de schoenen bij de gedachte dat de geruchtenmolen er misschien lucht van zou krijgen dat ik J.B.'s anti-epilepsiepillen in handen had gehad. Er zaten geen extra gaatjes meer in mijn paranoiariem, en wat nog erger was: er was nu ook echt niemand meer naar wie ik nog toe kon.

Ik kon helemaal niemand meer vertrouwen, behalve mezelf.

19 NIET MEER SLAPEN

Dit keer geen spoor van broodkruimels of boxershorts: ik ging alleen naar de waterval. De ontmoeting die ik die ochtend met Tracy op de wc's had gehad, had me helemaal lamgeslagen. Haar stormachtige ogen lieten me niet los, en alle voorspellingen die ze had gedaan spookten onafgebroken door mijn hoofd. Ze had gelijk gehad toen ze voorspelde dat Mike de prins van Palmetto zou worden. Ze had gelijk gehad over de wraak die op handen was (hoewel, naar later bleek, J.B. wraak had genomen, en niet ik). Ze had zelfs die dag gelijk gehad toen ze zei dat ik helemaal niets meer kon doen en helemaal op mezelf teruggeworpen was. De enige voorspelling die nog niet was uitgekomen was 'de val' die op de wraak zou volgen. Ik begreep nog steeds niet precies wat ze daarmee bedoeld had – en dat was de reden waarom ik die avond naar de waterval toe was gegaan.

Het regende weer, en het pad de heuvel op was modderig en steil. Terwijl ik omhoogliep greep ik hier en daar een tak van een cipres beet om me op de been te houden, en ik stapte over de vleesetende planten heen waarmee de berm begroeid was. Ik had het nooit eng gevonden om 's avonds alleen op pad te zijn, maar nu beefde ik.

Misschien hielp het als ik mezelf voorhield dat ik niets te verliezen had.

Boven aan het pad werd ik begroet door een krassende uil, die eruitzag als een dikke zwarte kat in een spar. Ik dook onder de laaghangende tak door en stapte de door water uitgesleten stenen spelonk binnen. Het was de eerste keer dat ik zonder Mike naar de waterval toe was gegaan – en volgens mij ook de eerste keer dat ik echt zag hoe die eruitzag. Elke keer dat we hier samen naartoe waren gegaan was de grot alleen maar een achtergrond voor ons geweest. Die avond voelde de nis benauwd en gevaarlijk, en alles was glibberig, nat en koud.

Ik ging aan de rand staan, waar ik het vroeger altijd leuk vond om boven Mike uit te torenen; als ik zo dicht bij de rand ging staan dat het water door mijn haar stroomde, werd hij altijd zenuwachtig. Nu keek ik over de rand en werd meteen duizelig. Ik ging in de nis zitten om op adem te komen.

Hier was ik veilig. Ik was eindelijk veilig en alleen. Ik was van plan om maar aan dat gevoel te wennen.

Ik had een plan. Ik wist wat ik moest doen.

Het zou alleen niet goed zijn om geen afscheid van Mike te nemen. Bij de gedachte alleen al kneep mijn hart samen. Hoe moest ik hem onder ogen komen? Maar ook: hoe moest ik alles wat we verkeerd hadden gedaan onder woorden brengen? Hoe moest ik verklaren waar ik na deze avond terecht zou komen? Hoe moest ik hem waarschuwen en vertellen wat hem hierna te doen stond?

Je zult net zoveel begrijpen als je kunt begrijpen.
Voor altijd, Natalie

Geen excuses, want die waren vaker ongewenst dan dat het te weinig was of dat ze te laat kwamen. Hij zou het wel begrijpen uit het briefje dat ik in zijn kluisje had gelegd. En als hij het niet begreep...

Zijn gezicht. Het plakboek dat ik in mijn rugzak bij me had, zat er helemaal vol mee.

Het was niet mijn bedoeling geweest om dat hier open te maken; het was gewoon een van de dingen die ik niet achter kon laten. Plotseling bekeek ik ons leven samen, bladerde ik de dunne bladzijden door, op zoek naar iets van een antwoord.

We waren in een omhelzing die drie jaar had geduurd samen volwassen geworden, en die had ik wel heel zorgvuldig vastgelegd, maar ik denk dat ik nooit echt de tijd genomen had om het plakboek eens goed door te kijken, nadat ik het had samengesteld. Grappig eigenlijk: de meeste foto's waren vanuit dezelfde hoek genomen, met de camera hooguit zo ver als een van onze armen reikte. Het was net alsof we zo in elkaar waren opgegaan dat we elkaar niet zo lang los konden laten dat we iemand anders vroegen om een foto van ons te maken.

Ik wist niet wie van ons de afgelopen weken als eerste had losgelaten. Ik wist alleen maar dat het koud was, hier met die gestage waternevel waardoor het plastic op de bladzijden van het boek besloeg. Terwijl ik ze doorbladerde, beefden mijn vingers en werden ze blauw. Achter in het boek zaten tien lege bladzijden – gereserveerd voor foto's die ik vrijdagavond van ons op het galafeest had willen nemen.

Die moesten dan maar leeg blijven. Zo waren ze in elk geval zuiverder. Zo waren het in elk geval alleen maar leugentjes om bestwil.

In het eerste jaar hadden we een keer een opstelwedstrijd gehouden: stel je voor dat je huis in brand staat en dat je maar een paar minuten hebt om weg te komen. Welke vijf dingen zou je onderweg naar buiten snel meenemen?

Op die manier moest je leren wat je waardevol vond, wat niet vervangen kon worden. Je zou dus ogenblikkelijk moeten weten wat belangrijk voor je was, in het heetst van de strijd. Ik vroeg me altijd af waar dat op sloeg. Waarom moest je hele wereld eerst in vlammen opgaan voordat ze een dergelijke helderheid aan de dag kon leggen?

Ooit zou ik mijn jasmijn hebben meegenomen, verfomfaaid in mijn rugzak, maar alles was heel anders gelopen dan ik gedacht had. Op de plek waar ik nu naartoe ging had je niks aan een reusachtige, zijden bloem, aan bungelende linten, aan de zeldzame charme van een kroon.

Mijn handen beefden. Ik sloeg het plakboek dicht en stak mijn hand in mijn tas. Er zat namelijk nog iets in waarvan ik vast en zeker rustig zou worden.

'Nat, wat doe jíj hier?'

Het was Mike. Hij dook onder de boomtak door om bij me te kunnen komen.

'Wat doe jíj hier, kun je beter zeggen,' zei ik, en ik liet de rugzak vallen.

'Je was niet op school, je was niet thuis. Ik begon me zorgen te maken.'

Mikes zwarte regenjas droop toen hij die uittrok en op de grond gooide. Buiten vloog de krassende uil weg.

'Je had hier niet naartoe moeten komen,' zei ik.

Mike zuchtte en sloeg zijn armen over elkaar. Hij leunde tegen de stenen plaat aan de andere kant van de nis. Het voelde alsof hij te dicht bij me was, te verstikkend, en tegelijkertijd te ver weg.

'Nat, ik ben vandaag gebeld,' zei hij, en hij keek alle kanten op, maar niet naar mij. 'Door je vader.'

'Dat kan niet,' zei ik, en meteen begon ik als een gek een verklaring te verzinnen, een uitweg. Maar ik was dood- en doodmoe. Het was voorbij.

'Ik ben niet boos,' zei Mike. Hij kwam naast me zitten en pakte mijn hand. 'Het klinkt misschien gek, maar een heleboel dingen vallen nu eindelijk op hun plaats. Ik begríjp zelfs waarom je gelogen hebt.'

Ik trok mijn hand los. 'Je weet helemaal niets van mijn beweegredenen. Je weet helemaal niets van mij.'

'Je vader heeft me veel meer verteld dan jij ooit gedaan zou hebben,' zei hij.

'Hij zei dat hij geprobeerd heeft weer contact met je te krijgen.'

Heel even vroeg ik me af wat mijn vader dan precies over ons ranzige verleden verteld had. Zou hij Mike verteld hebben over die twee jaar waarin hij elke dag net deed alsof hij naar zijn werk op de werf ging, maar vervolgens bezopen in het café eindigde? Of wat hij allemaal had meegemaakt sinds de dag dat zijn maten van het bureau hem de handboeien om hadden gedaan? Mike mocht dan een nieuwkomer zijn die in de leugens van mijn vader trapte, ik had zijn excuses en zijn plechtige beloften dat hij zou veranderen al zo vaak geloofd dat ik me niet nog een keer liet teleurstellen.

'Je kent mijn vader niet,' zei ik ferm. 'Hij is een doortrapte leugenaar, Mike.'

'Hij maakt zich zorgen om je,' zei hij. 'Dat hebben we dan met elkaar gemeen.'

Ik stond op en liep over de smalle stenen rand heen en weer. Ik kon gewoonweg niet geloven dat we dit gesprek daadwerkelijk voerden. Het was bijna jammer dat ik mijn vader nooit meer zou zien, dat ik nooit de kans zou krijgen om hem hiervoor uit te kafferen.

'Mike, je moet niet zomaar alles geloven wat mensen je vertellen. Hij heeft je echt niet gebeld omdat hij zich zorgen om me maakt, hoor,' zei ik. 'Ik vermoed dat hij je gebeld heeft omdat hij lucht heeft gekregen van dat trustfonds van jou.'

Mike schudde zijn hoofd. 'Je bent van streek,' zei hij. Hij probeerde zijn armen om me heen te slaan. 'Je bent gewoon moe en van streek.'

Ik duwde hem van me af. 'En jij bent onnadenkend.'

Nu liep Mike rood aan en deed een stap naar voren, zodat hij boven me uittorende.

'Ik ben "onnadenkend"?' vroeg hij. 'Ik wilde anders van meet af aan al eerlijk vertellen wat er gebeurd was, hoor. Ik ben niet al mijn hele leven op de vlucht voor mijn verleden.'

'Waarom zou je ook?' beet ik hem toe. 'Jij bent Mike King. Je hebt geen idee hoe het is om ergens voor op de vlucht te moeten.'

Nu we het er toch over hadden...

Ik moest gaan. Ik had eigenlijk met opgeheven hoofd Charleston willen verlaten. Ik had één vredelievend gebaar bij de waterval willen maken, maar nu Mike ten tonele was verschenen en dat onmogelijk had gemaakt, wilde ik gewoon zo snel mogelijk de benen nemen. Ik bukte me, pakte mijn rugzak en stopte het plakboek erin.

'Wat is dat?' vroeg Mike, en hij trok het uit mijn handen. Het boek viel open op een foto van ons tweeën op precies deze plek, op een veel onschuldiger tijdstip in onze relatie. Hij keek naar me op. Zijn ogen begonnen vochtig te worden. 'Waarom heb je dat hier mee naartoe genomen?' vroeg hij. 'Wat heb je verder nog in die tas?'

'Niks,' mompelde ik. 'Laat me nou maar met rust.'

'Natalie, wat is er allemaal aan de hand?' Hij wilde mijn rugzak van mijn schouder trekken, maar ik hield de banden stevig vast. Na een korte ruk voelde ik dat de rits meegaf. Hij ging open, zodat de tas zich als een paarse, vleesetende plant opende. Iets van twintig pakjes Juicy Fruit vlogen alle kanten op, en ik slaakte een kreet toen ik uitgerekend dat ene waarvan ik echt niet wilde dat Mike het zag, door de lucht zag vliegen en voor hem neer zag komen.

Hij bukte zich om het op te rapen. Ik hield mijn adem in. Hij liet zijn ogen over mijn buskaartje enkele reis New York gaan en slikte moeizaam.

Hij fronste zijn voorhoofd. Hij keek op zijn horloge en zei: 'Je mag wel opschieten als je die nog wilt halen, denk je niet?'

'Mike.'

Ik deed een stap naar hem toe, maar hij duwde me weg. Ik struikelde naar achteren, tegen de muur aan. Zijn handen voelden ruw tegen mijn borst.

'Laat me raden,' zei hij met een venijnige toon in zijn stem die ik niet eerder van hem had gehoord. 'Ik snap het zeker niet, hè? De getergde, gecompliceerde Nat en haar onnozele trustfondsvriendje. Zo denk jij er zeker over, hè?'

Vroeger zou ik me op hem gestort hebben en gesmeekt hebben om zijn mond op de mijne te drukken, zodat we niet langer dingen zouden zeggen die we niet zo bedoelden. Het erge was dat we inmiddels alles wat we zeiden wel zo bedoelden.

'Laat me met rust,' zei ik. 'Geef mijn spullen terug en laat me met rust.'

'Nee,' zei hij, en hij vouwde het buskaartje op en stopte het in zijn zak. 'Denk je dat je zomaar kan verdwijnen en dat wat wij gedaan hebben dan ook verdwijnt? Ik sta niet toe dat je bij me weggaat, Nat. Niet na alles wat er gebeurd is.'

'Zonder mij ben je beter af,' zei ik, hoewel ik wist dat ik eigenlijk bedoelde dat we dan allebei beter af waren. Niemand zou de schuld van dit alles alleen Mike in de schoenen schuiven, en misschien dat er ver weg voor mij ook ergens een nieuwe start mogelijk was. 'Geef me mijn kaartje terug,' zei ik, en ik stak mijn hand uit.

'Nee.'

Mike sloeg zijn armen over elkaar. Ik had geen keus. Ik liep voor de laatste keer naar hem toe. En voor de laatste keer duwde hij me weg.

Alleen deed hij het die keer met net iets meer kracht. Die keer stopte ik pas met naar achteren struikelen toen er geen grond meer was om op te struikelen. Mijn voet schoot over de rand van de waterval, en Mike en ik keken elkaar aan.

We wisten het. Precies op dat moment wisten we allebei wat er ging gebeuren.

Hij stak zijn hand naar me uit. Het was te laat.

Was het op een bepaalde manier niet altijd al te laat geweest voor Mike en mij? Tuurlijk, ik had geprobeerd een nieuwe start te maken toen ik overgestapt was naar Palmetto, maar ik denk dat je verleden soms ook gewoon te sterk kan zijn. Dat van mij had er een handje van om me lastig te blíjven vallen. Ik kon er alleen maar tegen vechten tot het moment waarop ik viel.

Toen dat zich aandiende, liet ik het gebeuren. Je zou kunnen zeggen dat ik er zelfs blij mee was, en ik viel zo sierlijk mogelijk achterover, door het gordijn van ijskoud water, en toen daarlangs omlaag. Naar de stilstaande zwarte waterplas in de diepte.

20 GROEN ALS GRAS

Sommige mensen zeggen dat je leven in een flits aan je voorbijtrekt, vlak voor je doodgaat. Voor mij was het maar één moment. Hetzelfde water, een andere val. Ik was dertien jaar en zou voor de allereerste keer naakt gaan zwemmen.

'Schiet op,' riep Sarah vanaf de andere kant van het landje met onkruid. 'Zodra we erin zijn is het warmer.'

Ze had haar kleren al op een hoopje naast me gelegd. Ik keek omlaag naar haar dunne roze behaatje, haar afgeknipte broek, het witte topje dat ze in een verpakking van drie in de supermarkt had gekocht. Ik stelde me voor hoe ze er aan de andere kant van de struik uit moest zien: helemaal bloot, op haar teenslippers en de ketting met haaientanden die ze altijd om had na. De tatoeage op haar onderrug zou er in het licht van de maan kleurig uitzien op haar lichte huid. Ze zou met haar armen om haar borst geslagen staan te rillen. Je kon het aan haar stem horen: ze kon niet wachten om samen met de jongens het water in te gaan.

Ik was zenuwachtig. Ik kende die jongens niet die ze op de parkeerplaats aan de andere kant van de stad had leren kennen, terwijl ze een afspraakje met iemand anders had. Als ik haar verhaal moest geloven had een van hen het raampje van zijn rode Camero omlaaggedraaid en glipte ze er al door naar binnen voor hij zelfs maar had geopperd dat ze haar date moest dumpen voor iemand met een snellere auto.

'Het zijn jongens van Palmetto,' had ze later die avond aan de telefoon tegen me gezegd. 'Ze hebben snelle auto's, ze praten snel en ze bewegen zich snel. Ze zijn heel anders dan de jongens die wij kennen.'

Ze had me al snel weten over te halen om met haar mee te gaan; ze had met ze afgesproken achter het huis van een van hen, aan de Cove. En het was niet eens zijn vaste woonhuis – wie die jongen ook mocht zijn – vertelde Sarah opgetogen; het was een extra weekendhuis, zoals alleen filmsterren hebben.

We moesten er liftend heen, met onze bikini en onze leukere kleren in een strandtas gestopt, zodat niemand uit onze buurt er iets van zou denken als hij ons op straat zag. Stiekem de deur uitgaan en in Cawdor blijven, oké, maar helemaal naar Palmetto gaan was een heel ander verhaal. Mensen gingen misschien wel denken dat je je boven je stand waande.

De jongens waren met meer. Ze waren groter en ouder en ze droegen allemaal een zwembroek die waarschijnlijk twee keer zoveel kostte als de badpakken van Sarah en mij samen. Ik schaamde me voor mijn effen badpak met de hoge rug, waardoor ik er nog platter uitzag dan ik was. Sarah zag het aan me.

'Ik heb een idee,' zei ze zangerig.

Twintig minuten later stond ze nog steeds te wachten tot ik genoeg moed had verzameld om mijn kleren uit te trekken en ook naar de steiger te gaan. We zouden even in het maanlicht blijven staan en dan in het water duiken – net zo ver bij de jongens vandaan dat we niet veel meer dan een silhouet vormden, en net lang genoeg om ze een idee te geven.

Op een gegeven moment kwam ze door het onkruid naar me terug gelopen, pakte zelf mijn shirt beet en trok het over mijn hoofd uit.

'Hé,' zei ik plagerig, 'ik dacht dat jij op jongens viel.'

We moesten allebei ontzettend lachen. Ze trok de rits van mijn spijkerbroek open en ik schopte mijn benen uit de pijpen.

'Dat werd tijd.' Ze grijnsde, en terwijl ik mijn armen rillend om me heen sloeg bekeek ze me van top tot teen. 'Lekker. Oké, wie van de jongens wil jij? Ik begin met Tommy.'

'Begin?' vroeg ik lachend.

'De nacht is nog jong, liefje,' zei ze, en ze haalde dramatisch haar schouders op. Ik begon zo'n beetje te begrijpen waarom mijn moeder en haar vriendinnen zeiden dat de moeder van Sarah een hoer was – een etiket dat je niet zomaar opgeplakt kreeg, vooral niet in het soort woonwagenkampkringen waarin mijn moeder verkeerde. Maar in mijn ogen was Sarahs gretigheid iets heerlijks. Zij was het eerste meisje dat in mijn ogen echt zelf bepaalde wat ze met haar lichaam deed. Als ze iets wilde, dan kreeg ze het ook. Ze leek bijna een jongen.

Ik realiseerde me dat ze me aanstaarde en wachtte tot ik vertelde met wie ík wilde beginnen.

'Ik ken eigenlijk niemand van die jongens,' zei ik. 'Hoe moet ik dan kiezen?'

'Daar heb je een punt,' beaamde ze. 'Dan leer je ze in het water maar kennen, da's veel spannender. Nu uit de kleren, straks kiezen, oké?'

Ik knikte grijnzend.

'Bij me in de buurt blijven, Tal,' zei ze, terwijl ze me mee naar het water nam. 'Dan leer ik je alles wat je moet weten.'

Dat deed ik, en dat deed zij ook. In elk geval een poosje.

Zodra de eerste jongen een glimp van ons naakt op de steiger opving, klaar om erin te duiken, volgde er een vlaag van gespetter en zwommen alle jongens onze kant op. Sarah en ik hielden elkaars hand vast, staken die boven ons hoofd en doken samen het water in.

Toen ik bovenkwam om lucht te happen, keek ik pal in het gezicht van een blonde jongen die watertrappelde. Ik had hem niet eerder in de groep gezien, maar zonder een woord te zeggen kwam hij watertrappelend dichterbij, streek met een hand langs mijn gezicht en kuste me.

'Ik ben Justin,' zei hij. 'Zeg maar J.B.'

'Natalie,' zei ik naar adem happend, terwijl ik boven probeerde te blijven. 'Maar iedereen noemt me Tal.'

'Wat heb je een mooi gezicht, Tal,' zei hij. 'En wat een obsceen mooi lichaam.'

Ik was pas twee keer gekust, nooit door iemand wiens naam ik niet kende, en er had al helemaal nooit iemand zo tegen me gesproken. Nu was hier die jongen, die een paar jaar jonger was dan de rest van de groep – misschien van mijn leeftijd – en die deed alsof hij een heel nieuw reglement had geschreven.

'Zal ik je mijn boot laten zien? Lijkt je dat leuk?' vroeg hij. 'Ik denk dat je hem wel mooi vindt.'

Ik keek even naar Sarah, die heel speels met een van de jongens aan het spetteren was, met haar hoofd achterover. Ze zag dat ik naar haar keek, en ze knipoogde.

'Oké,' zei ik tegen Justin.

Hij pakte onder water mijn hand en we zwommen naar een jachthaventje waar een rij glanzende motorboten lag aangemeerd. Justin hees zich uit het water en op de zijkant van de boot. Toen hij een stoelzitting omhoogdeed om een handdoek te pakken, móést ik wel naar zijn lichaam kijken. Hij zag dat ik keek, en toen ik mijn hoofd liet zakken, zei hij: 'Het is niet erg. Kijk maar goed. Ik ben van plan om hetzelfde te doen als ik jou zo meteen omhooghelp.'

Toen hij zich bukte, allebei mijn handen vastpakte en me op de boot trok, bloosde ik nog steeds. Ik hapte naar adem toen ik de koude lucht op mijn natte huid voelde, maar ook van het besef dat ik wel heel erg naakt en heel erg alleen was, samen met iemand die ik niet kende, aan de andere kant van de stad.

'Hmm, waar is die extra handdoek?' zei hij voor de grap, en hij krabde aan zijn kin.

'O mijn god,' zei ik, en ik bedekte mezelf met mijn handen, half angstig, half opgetogen. 'Snel, geef me jouw handdoek.'

We vochten even om de enige handdoek, totdat ik uitgleed en Justin met een dreun boven op me belandde. Hij kuste me nog een keer en aaide met twee vingers over mijn wang.

'Op welke school zit je?' vroeg hij.

'Wil je het echt over school hebben?' vroeg ik giechelend. 'Nu?'

'Ik wil je beter leren kennen, denk ik. Kweenie.' Nu bloosde hij. Onder de boot kolkte het water, en ik werd duizelig. Maar wel een lekker soort duizelig.

'Jezus,' mompelde een stem achter ons. 'Ik denk dat we de grote versierder maar even moeten waarschuwen.'

Ik trok me los en bedekte me zo goed mogelijk met de handdoek. Twee andere jongens stonden naast ons, allebei drijfnat, allebei met een spottende blik op hun gezicht. Plotseling voelde het helemaal niet oké om bloot op deze boot te zijn.

'Die meisjes zijn hier niet om een gezellig gesprek mee te voeren, broertje,' zei de langste van de twee. Hij leek op Justin, maar dan een paar jaar ouder. Dat was vast Tommy. 'Die zijn hier om te neuken en dan naar huis te gaan.'

Ik slaakte een kreet, en alle drie de jongens draaiden zich naar me toe.

'Ai,' zei de andere jongen. Zijn donkere natte haar hing voor zijn ogen. 'Wat is dat ordinaire grietje leuk als ze doet of ze van niks weet.'

Tommy knikte. 'Ze heeft misschien een mooier gezicht, maar verder is ze net zo'n sloerie als Slutsky daar.'

Ik keek naar de plek waar ik Sarah had achtergelaten. Ik hoorde haar 'de tijd van mijn leven'-lach over het water schallen. En hier was de jongen, voor wie wij dertig kilometer hadden gereisd, die achter haar rug zei dat ze een sloerie was.

'Bemoei je er niet mee,' zei Justin. 'Wij hebben het gewoon gezellig, ja?'

'Draai je eens om, ordinair grietje,' zei Tommy.

'Ze heet Tal, hoor,' zei Justin.

'Ik zei: draai je eens om, ordinair grietje,' zei Tommy wat harder nu. 'Ik wil je reetstempel zien.'

'Wat?' vroeg ik.

'Elke griet uit Cawdor heeft precies boven haar bil dezelfde ordinaire tatoeage. Zo weten jongens als wij waar we op moeten mikken als we jullie...'

'Effe dimmen, Tommy,' zei de andere jongen.

'Als mijn broertje met de grote jongens mee wil doen, zal hij toch een paar dingen moeten leren,' hield Tommy vol. 'Kom, laat bewijsstuk A maar eens zien.'

'Ik heb geen tatoeage,' zei ik.

'Dat meen je niet!' zei Tommy, terwijl hij me eens goed bekeek. 'Heeft Slutsky een groentje meegenomen? Wat apart.'

'Nou, dan kan het niet lang meer duren,' zei de andere jongen spottend, en hij gaf Tommy een vuistbump.

Hij draaide zich om naar Justin. 'Als je maar niet vergeet dat deze meisjes voor drie dingen deugen.' Tommy stak zijn vingers op en ging verder. 'Uit de kleren gaan, je leegkloppen en weer opdonderen.'

Op dat moment keek Justin me aan, en zijn ogen stonden anders, alsof hij mij er de schuld van gaf dat we hier allebei waren en dat hij die preek kreeg.

'Ja,' zei hij koeltjes, 'dat weet ik.'

'Wat?' fluisterde ik.

'Zeg, als je die reetstempel nog krijgt, laat het me even weten,' zei Justin, wat hem op een juichkreet van de oudere jongens kwam te staan.

Ik wilde op hem af vliegen, zonder een echt plan; ik wist alleen maar dat alles wat Justin Balmer had gezegd om me te verleiden een leugen was geweest. Voordat ik hem te lijf kon gaan, pakte Tommy me bij mijn polsen.

'O,' schimpte hij. 'Het groentje wordt opstandig. Maak je maar geen zorgen, hoor, liefje,' kirde hij, en de minachting droop van zijn stem. Toen pakte hij de handdoek die ik rond mijn middel droeg stevig beet en begon eraan te trekken. 'Kom, ik laat je wel zien hoe het moet.'

In paniek keek ik naar Justin. Hij keek de andere kant op. Voordat Tommy het laatste stukje van mijn handdoek kon wegtrekken, bundelde ik alle angst en vernedering die ik in me had en gaf hem een zet.

Ik bleef niet eens kijken om hem achterover te zien vallen. Ik dook in m'n blootje het meer in en liet mijn tranen door het koude zwarte water wegspoelen. Ik dacht niet meer aan Sarah, ik dacht niet meer aan mijn kleren. Ik wilde alleen maar helemaal terug naar huis zwemmen.

Tegen de tijd dat ik in de eerste klas op Palmetto begon, had ik al veel ergere dingen meegemaakt dan dat ene moment op de steiger. Ik had langer haar, een dikkere huid, de juiste postcode en kleding, en een andere bijnaam om te bewijzen dat ik dat verleden helemaal achter me had gelaten.

Maar de eerste keer dat ik J.B. in mijn nieuwe school op de gang zag, was ik meteen weer terug in die jachthaven, volkomen weerloos, volkomen waardeloos.

Hij passeerde me, en liep toen terug. 'Je komt me bekend voor,' zei hij met halfdichtgeknepen ogen. 'Hebben wij elkaar al eens eerder ontmoet?'

EPILOOG

Ooit had je visioenen van je definitieve afscheid van de middelbare school, als een soort sprookjesachtig einde van je verhaal. Je liet je maar wat gemakkelijk iets wijsmaken. Je zwichtte snel voor de instrumenten van de duisternis, terwijl je je Juicy Fruit kauwde en dacht dat de wereld aan je voeten lag.

Er werd bijna een week lang naar het lichaam van Natalie Hargrove gezocht, en Dotty Perch was al die tijd voor haar ziel aan het bidden. Ze joeg er de ene doos tissues na de andere door, geflankeerd door Darla en de Zak op de bank in de hacienda aan het meer. De Zak ging met zijn vingers door haar haar en zette de vierde pot decafé hazelnootkoffie voor haar. Hij zou nooit kunnen uitwissen wat er met Dotty's enige dochter was gebeurd. Het was geschied. De strijd was verloren en gewonnen. Maar ze had nu in elk geval iemand die voor haar kon zorgen, en ze had een huis, gebouwd op een leven van hunkeren. Ze zou op een gegeven moment het geluk wel vinden. Jij ook, als je in haar schoenen stond.

Dubbel-D was een ander verhaal. Het leek wel alsof ze Natalies oude kluisje als haar persoonlijke klaagmuur beschouwde, en ze plukte met haar knobbelige vingers aan de poster die op het roodmetalen deurtje was geplakt.

Op de poster stond: KATE KICHARDS, VAN DIENARES TOT PRINSES. ONTDEK DE NIEUWSTE STER VAN PALMETTO.

Kate Richards had zo vlotjes de plek ingenomen die door Natalie Hargrove was achtergelaten dat je wel kon verwachten dat onze nieuwste ster zich aan de arm van een zekere heersende koning zou vertonen. Maar op Palmetto had niemand Mike sinds het tragische ongeluk van Natalie ooit nog gezien of van hem gehoord. Misschien was dat buskaartje enkele reis toch nog van pas gekomen...

Op Palmetto deed brigadier Parker een heel eigen ontdekking. De politie was er eindelijk aan toe gekomen om het kluisje van Justin Balmer uit te ruimen. Daarin vonden ze een footballhelm, sokken, een suspensoir. En een etuitje.

Met daarin een paar foto's.

Van Natalie Hargrove.

Natalie die op de fondsenwervingsavond voor eersteklassers limonade serveerde.

Natalie naast de vlaggenmast, die lachend haar hoofd in haar nek gooide, zodat de zon op haar lange donkere haar fonkelde.

Natalies met steentjes bezaaide paarse jurk, glinsterend in het licht uit de sneeuwbol, op het winterfeest van het jaar daarvoor.

En nog meer. Foto's van Nat uit alle vier de jaren dat ze samen op Palmetto hadden gezeten.

Dat was het bewijs dat J.B. bepaald geen open boek was geweest, dat er achter zijn groene ogen waarheden begraven hadden gelegen. Het bewijs dat dingen niet altijd zijn zoals ze lijken.

Ooit dacht je dat je kon worden wie je maar wilde. Dat je ervoor kon zorgen dat de ware jakob van je zou gaan houden en dat hij je zou redden van je noodlot. Dat je iedereen te slim af zou zijn en dat je je verleden voor altijd achter je zou laten.

Je hebt keihard je best gedaan om te krijgen wat je wilde.

Het lot heeft je uiteindelijk heel wreed verraden.